저자소개

저자는 한국 전쟁 휴전 직후에 태어난 부산 출생[1]으로

법무부 교정직 공무원으로 근무하며 공직 생활을 통하여 만난

다양한 사람들의 다양한 사정을 통해 인생의 많은 교훈들을 얻었다.

이제는 사무관(5급 공무원)으로 은퇴하여 자연을 노래하는

"야매로 배운 시인"이라는 필명으로 활동하고 있다.

아마추어 사진 작가, 여행가이며 특히 자전거 여행으로(국토 종주 3회)

우리나라 산천 곳곳의 자연 풍경을 역사와 더불어 담아내어

유투브(Youtube)로 공유하고 있으며

자연에서 느낀 감흥을 시로 표현하고 있다.

주자(朱子, 1130 ~ 1200)의 후손임을 자부하는

지난날 주자(朱子)가 사상의 훈고학적 한

실천적 체계를 지향한 것처럼

저자 역시 선대의 학풍을 쫓아 생활 속의 교훈들을 찾아다니는

바가본드(vagabond)로서 시류를 노래하고 있다.

---

1) 저자의 시와 산문에 나타나는 부산 사투리와 슬랭(slang)은 로고스(logos)보다 에토스(ethos), 언어의 뉘앙스(nuance)를 살리기 위해 표준어로 굳이 고치지 않았다.

시와 산문

발 행 | 2024년 2월 26일
저 자 | 주호성
펴낸이 | 한건희
펴낸곳 | 주식회사 부크크
출판사등록 | 2014.07.15.(제2014-16호)
주 소 | 서울특별시 금천구 가산디지털1로 119 SK드윈타워 A동 305호
전 화 | 1670-8316
이메일 | info@bookk.co.kr

ISBN | 979-11-410-7388-6

www.bookk.co.kr

김해 대저, 서 낙동강

주 호 성

고향의 강, 서 낙동강
강원도 태백(太白)에서 발원한 천 삼백 리 물길
굽이굽이 흘러온 모래,
뻘2)이 오랜 세월 쌓이고 퇴적되어
커다란 모래톱, 삼각주가 생겨나게 되었다
대저(大渚), 을숙도(乙淑島)는 그 중 하나이다

서 낙동강은 낙동강의 지류가 아니다
본류, 원래의 江이었다
일제강점기시대였던가
김해, 가락의 홍수피해 때문에 제방, 둑을 쌓아서
을숙도 방향으로 흐르는 또 하나의 낙동강으로
물의 흐름을 돌렸기 때문이다

서 낙동강의 지류
맥도강(麥島江)은 그렇게 잉태되었다
물길이 두 갈래로 갈라지면서
물의 흐름이 느려지게 되고
모래, 뻘이 퇴적되고 쌓이면서
맥도강(麥島江)은 江으로서 생명력을 잃고
고인 물, 호수처럼 되어버렸다

흐르지도 않는 江, 맥도강에서
고니무리들 여기도 좋사오니 하며
낙원 을숙도(乙淑島)를 외면하고
나름 쉴만한 물가, 맥도강(麥島江)에서
겨울 한철 보내고 있다.

---

2) '개흙'의 방언(경남, 전남), 표준 국어 대사전.

시절이 하 수상하니

중국의 "춘추전국시대"를 방불케 하는
작금의 우리나라

기원전 770년 중국의 순추전국시대는
권력자들이 자신의 권력욕심만 채우려는
난세 였습니다

우리가 잘 알고 있는 공자도
이 시대를 살았던 사람이었습니다

중국의 주나라는 전 왕조 상나라의
폭정을 끝내고 세운 나라 였습니다

그때 그 시절 책사로서 상나라를
끌어 내리는데 큰 공을 세운 사람은
우리가 익히 잘 알고 있는 강태공입니다

위수에 바늘도 없는 낚싯대 드리우며
세월을 낚고 있었던 것입니다

자신의 경륜을 마음껏 펼칠 수 있는
기회, 자신을 알아줄 주군을 기다리고
있었다고 봅니다

강태공은 주나라 문왕에게
독특한 봉건제도를 건의 하였습니다
이전의 왕조들은 생각지도 못한 제도
시스템, 전국을 여러 지역으로 나눈 후

제후를 임명하여 대리 통치를 하는 제도였는데
당시의 제후는 굳이 비교 하자면
요즘 우리나라의 광역시장, 도지사 급에 비유 할 수 있습니다
주나라 초기에는 이 제도가 잘 먹혀 들었습니다
제후들의 충성도가 높았었기에

그러나 세월이 흐르면서
자신들을 제후로 봉한 황제가 죽고
그 후손, 아들들이 등극하면서
레임덕이 생기게 되고 자연스레
제후들의 힘이 강해지면서
다른 꿈을 꾸는 제후들이 많아졌습니다

무능하다고 생각되고
백성들의 환호를 받지 못하는 황제를
힘이 약해 빠진 황제를
따를 이유가 없었기 때문입니다

그리하여 제후들이 각자 자신의 목소리를 내고
자신의 꿈, 가고 싶은 길을 도모하다 보니
군웅들이 활거하게 되고
민초들은 도탄에 빠지는 춘추전국시대가 도래
하였던 것입니다

시방 우리나라는 중국만큼 땅이 넓지도
사람 쪽수도 많지 않은 조그만 땅덩어리
그것도 반 토막 난 비좁고 작은 나라에 불과 합니다

군사독재이 트라우마 때문 이었던지
아니면 민주화투쟁을 함께 한 동지들에게
나눠 줄 몫, 분깃, 지분이라는
표현이 더 맞을 것 같습니다만

"풀 뿌리민주주의"의 실현이라는 허울 좋은 이름 명분하에
쬐그만 시(市)의 장, 그리고 시, 군, 구 의원까지
많은 나랏돈 낭비하면서 투표로 선출하는 나라가 되었습니다

생활고 걱정에 젊은이들은 결혼을 포기하고
설령 결혼을 한다 해도 아이는 낳지 않습니다

아직도 늦지 않았습니나
지금이라도
구캐의원 숫자는 줄이고, 세비는 깍고
정치꾼 철 새,정치꾼 노숙자들의 밥그릇으로 전락한
"풀뿌리민주주의" 시행착오를 통회하며 반성하시고

선거비용,
그 돈 아껴서 어려운 민초들의 복지에 사용하는 그것이
진짜 자유, 민주, 공정과 상식, 시대정신에 부응하는
"사회적자유민주주의"라는 대의에
한 걸음 더 가까이 가는 것 아닐런지요?

군사독재시절에 민주화를 위하여 투쟁 하였던
586운동권 그들의 희생과 겪었던 고초를 폄하할 생각은 없습니다
그러나 오로지 그것 하나로 구캐의원이 되고 온갖 특권 누리고
장관, 광역시장, 도지사에 국영기업 단체장까지 지내고 하셨으면
민주화투쟁 한 것에 대하여
이미 넘치도록 보상 받을 만큼 다 받고
누릴 것 다 누렸다고 생각 됩니다
언제까지 사골, 소 뼈다귀 고아 묵듯이 해 잡수셔야 성에 찰는지...

작금의 대한민국의 정치판은
역대 급 그 예를 찾아볼 수 없는 난장판이 되었습니다
가짜 뉴스에, 정치적 테러에...
선전선동이 판치는 세상

북한이 쳐내려 와도
통일전쟁이라면 그 전쟁관도 받아 들여야 된다는
새빨간 역사관을 가진 사람들이
국회 의사당에서 당당하게 토론회를 하여도 아무렇지도 않는 나라

민주주의와 자유가 차고 넘쳐흘러서
민주, 자유, 방종이 되어가는 나라 ...
검찰 독재를 외쳐대는 저들의 머리 속에는 무엇이 들어 있을까
그것이 궁금합니다
혹시나 자신의 정치는 로맨스그레이
남들이 하는 정치는 불륜이라고
생각들 하고 계시는 것 아닌가요 ...

간절욱 조조반도(艮絶旭肇早半島)

주 호 성

어긋나고 거스릴 간(艮),
끊을 절(絶),
아침해 욱(旭),
새벽 조(肇),
아침 소(早),
떨어진 한 부분의 섬, 반도(半島)
간절욱 조조반도(絶旭肇早半島)
"간절 곶에 해가 떠야 한반도에 아침이 온다"는 뜻

동북아대륙에서 아침 해가 가장 먼저 떠오르는 "간절곶"
간절곶은 특히 동북아대륙에서 새로운 천년, 2000년 1월 1일에
가장 먼저 한반도의 새벽을 밝히는 아침 해가 떠 오른 곳이기도 하다
다들 강원도에 있는 정동진이 아침 해가 가장 먼저 떠오르는 곳으로
잘못 아시는 분들이 많은 것 같다

유럽대륙에서 가장 먼저 해가 지는 곳은
포르투칼의 신트라市에 있는 바닷가 언덕빼기,
"카보 다 호카 곶"
서쪽 유럽에서 가장 먼저 해가 지는 연안에 있는 "곶"으로
유명한 곳이다

"카보 다 호카"에는 해넘이를 상징하는돌탑이 세워져 있으며
돌탑에는 포르투칼의 국민詩人인 "카몽이스"의 서사시의 일부 문구가
새겨져 있다고 한다

" Onde a terra acaba e o mar começa"

"여기, 대륙은 끝나고 바다가 시작 되도다"(카몽이스)

시 월 단상(斷 想)

주 호 성

기찻길, 기차역들
달리는 기차에 떠오르는 상념(想念)

가을 들녘을 라이딩하다가 달리는 기차 사진을 찍으려고
기차를 기다려보니 알겠더라
인내심이 필요 하다는 것을

기차에 대하여는 추억이 많았었고
경부선 기찻길 근처에 살다보니
늦게나마 깨달음을 얻었다

석가모니佛께서 보리수 나무아래서
40주야 기도 끝에 깨달음을 얻어신 것에 비할 바는 아니지만
내가 바라보는 달리는 기차들은
자신의 남은 인생길 이정표라는 것을

나의 처지가 하행선 부산행을 타고 있는 승객처럼
종점 부산역까지 몇 정거장 밖에는 남지 않았다는 사실
기차는 절대 빠꾸 안 하더라

지나쳐온 기차역으로 다시는
나를 데려다 주지 않을 것이다

어쩌다 한번 간이역 지나치며 울렸던
기저소리에 지금껏 살아온 내 삶

칠십년의 세월, 삶의 흔적들이
묻어 있을 것 같다.

소설 수라도

주호성

"수라도"는 부산지방 출신의 향토문학가
"요산 김정한" 선생의 소설 제목이다
경남 양산 물금 화제 오봉산자락 낙동강 절벽 베랑길

일명"황산잔도" 절벽 베랑가 험한 곳
경부선 기찻길 옆에 자리 잡은"용화사"
현재는"양산통도사"의 말사로 되어 있지만
소설"수라도"의 주요무대 현장으로서
소설 속에서는"미륵당"으로 불려지는 곳이다

"수라도"는 불교에서 말하는"아수라도" 라는 의미를 가지고 있는데
"아수라"의 뜻은 불교에서는 싸움을 일삼는 귀신을 의미한다
"아수라도"는 싸움을 일삼는 지옥을 뜻하는데
그곳에"아수라"가 살고 있으며 늘 싸움이 그치지 않는 곳에 살아
생전에 이기심, 시기와 교만으로 가득찬 인생을 살아온 사람들이
죽어서 가는 "지옥" 이라고 한다. 다음은 수라도의 줄거리 이다.

 낙동강변 물금 "화제"라는 시골마을에
 강 건너 김해 "가락"에서 시집을 왔었기에
 "가야댁, 또는"가야부인"으로 불리우는
 한 여인의 파란만장한 삶의 이야기

 "일제강점기"를 지내고.. 그리고"해방", "6.25 사변"을 거치며 겪는
 우리민족의 "수난의 역사"가 소설 속에 담겨져 있다
 "낙동 강변 시골양반가의 며느리로 시집을 왔을 무렵
시 할아버지 되는 "허진사"는 "독립운동" 하느라
"북간도"인가 "서간도"를 떠돌며 많은 가산을 거의 탕진하고
 유골이 되어 돌아왔건만

"창씨개명"한 이웃마을에 사는"이와모토 참봉"댁은
돈을 주고 산 "참봉"이었기에 마을사람들은 다들 그렇게 불렀다

"일제강점기시절"에 "고등계형사"였던 그댁 아들은
해방이 되어 심판을 받기는 커녕 도리어"경찰간부"가 되고
나중에는 "국회의원"까지 지내는 세상

반면에 "일본유학" 다녀 온 "가야 부인댁"은
큰 아들은 삼일만세 사건에 연루되어 옥고를 겪고
작은아들은 징용을 피하여 숨어다니다
해방 된 후에는 벼슬자리는 고사하고
무슨 농촌운동 하러 다닌다고 어머니의 임종도 지켜보지 못하는데
멀리서는 동족상잔의 포성이 들려오고 몰락해 가는 시골양반가의 이야기

"일제강점기시대" 와 해방, 6.25 사변"
격동의 시대 파란만장한 삶을 살다가 죽어간 한 여인의 이야기
할머니의 임종을 앞에 두고 손녀"분이"가
예전에 할머니께서 "미륵암"에 불공드리려 가실 적에
공양미 머리에 이고 따라가던 기억을 떠올리며
지난 날을 회상하는 형식으로 이야기 줄거리가 이어진다.

철새는 날아가고 , "EL Condor Pasa"

주 호 성

"Condor"는 남미 "안데스 산맥"에 사는 "큰 독수리"를 의미한다
이 노래의 배경에는 지난 날 남미 페루에 대한
스페인의 식민지배에 대항하는 저항 정신이 들어 있다.
그것은 "농민혁명" 정신이었다.
비록 실패로 끝난 반항운동이었지만
EL Condor Pasa는 "페루"의 민요에 가사를 붙여서
"농민혁명"이야기를 테마로 만들어진 노래이다.

그 옛날 "잉카왕국"의 원주민들은
위대한 "지도자"나 "왕"들이 죽으면 자신들이 "신성한 새"로 여기고
있었던 "콘도르"가 된다는 전설을 믿고 있었기에
당시"스페인"식민지 통치"하에 억압받고 고통 받던 "페루"
찬란한 잉카" 문명의 후예였었던 "잉카인"들의 아픈
역사와 슬픔이 서려 있는 노래이다

우리나라의 현대사를 되돌아보면
나름대로 위대한 정치지도자 "Condor"는
"하늘나라"로 날아간 지 오래되었고
더 이싱 "Condor"라고 불리울 민힌 인물들은 없었다
그 빈자리를 꿰어찬 운동권 철새들

"군사 독재정권" 때문에 잉태 되었었고
독재정권이 낳은 "운동권 정치꾼"
철새 정치꾼의 전성시대"가 되었다

그들이 그토록 증오한 "군사독재정권"의 나쁜 모습
"패거리 정치"를 그대로 닮은,
아니 그 보다 더 후지게 닮아 가면서

"춘추전국시대"를 방불케 하는
땅 따묵끼, 니 편, 내 편, 좌우, 이념으로, 진영으로,
남북으로 갈라지고, 째진 나라,

일부 특정지역에는
어떤 특정당의 작대기만 들고 서 있어도 되고
그래서 4년 동안 온갖 특권을 누리는 철새들
정치권 노숙사 "성지철새"들의 낙원

신작로가 끝나는 길을 가보셨나요

주 호 성

한참 등산 댕길 적에
지리산자락 누비고 다닐 때
거림 계곡, 내대마을, 신작로 끝 마을
산 꾼들끼리 우스개 소리로 하는 말이
노선 뻐스가 하루에 4대밖에는 들어오지 않는 신작로 끝나는 길에
있기에 빗대어 네 대 마을.

신작로길이 끝이 난다고
길이 끝나는 것 아닙디다
길 눈 밝은 산 꾼들만 아는 길 있습디다

산짐승들은 그네들만의 길이 있고
인간들은 길이 없으믄 맹글어 가믄서 다닙디다

인간들 발자국이 울매나 거시기 하믄
몇 사람 댕기지 않았는데도 흔적이 나고 길이 됩디다

길은 끝이 날 때 까지는 끝이 아이라카이
갈 수 있는데 까지 가보는 기라.

경남 양산 원동 매화마을의 어떤 노부부 이야기

원래 이곳 사람이 아니라 서울에 살았던 노부부
매화꽃 피는 어느 봄날에 부산에 사는 친척집 결혼식 참석차
무궁화호 열차타고 부산으로 내려가던 중
"원동역"을 지나면서 낙동강을 바라보는 양지바른 이곳 풍경에
그만 홀딱 반하게 되었다는데

그 후 자식들의 만류를 뿌리치고
서울에 살던 집을 처분하여 원동마을에
비어 있던 촌집 하나를 구입해서
몇 년간 신혼 부부 처럼 알콩 달콩 잘 살았다고 한다

그러던 어느 날 하나님도 야속하시지
글쎄 할머니께서 "암"에 걸려 돌아가시게 되고
혼자 남은 영감님 상실감과 허전함을 견디지 못해
늘 낮술로 얼마간 보내는가 했더니

영감님 마저 "치매"에 걸리게 되자
서울 사는 자식들이 모셔 갔다고 한다

장수시대 라고 모두 말은 쉽게 하지만
누구도 "치매와 암"을 피해 갈 수는 없다
설령 피해 간다 하더라도
"요양병원" 이라는 또 하나의 덫은 어찌할꼬

자신의 두 발에 의지하여 맑은 정신으로
가고 싶은 곳 다니고 먹고 마시고 느끼고 할 때
그때 까지 인생이다.

"The River in the Pines",
Joan Baez의 "솔밭사이로 강물은 흐르고"

주 호 성

이 노래의 배경이 되는 미 대륙은
남과 북, 동쪽과 서쪽을 이어주는 대륙간 횡단 철도는 가설 중이었고
대량으로 벌목한 목재를 운송하기 위하여
강물을 이용할 수 밖에 없었을 때
노래가사의 주인공 "메리"라는 아가씨는
봄에 "찰리"라는 젊은 청년과 갓 결혼한 신혼부부 였지요
그때 남편인 "찰리"는 목재를 뗏목으로
운반하는 일을 하고 있었습니다

그러던 어느 가을 무렵에 "찰리"는
벌목한 목재를 운반하는 뗏목을 타고 일을 나가게 되었는데
"포도주가 익을 때 쯤이면 돌아오게 될거야"라는 말이
두 사람 사이에 마지막 대화가 될 줄은 그때는 몰랐지요

"찰리"가 목재 운반선 뗏목을 타고 떠난 뒤
어느날 폭우가 내리고
"치페와 강"에 홍수가 나고 뗏목운반선이 급류에 휩쓸리면서
찰리는 실종 되었습니다

한참 시간이 흐른 뒤에 "치페와강" 하류 강변에서
수색하던 사람들에 의하여 "찰리"의 주검을 발견하게
되었습니다

강물은 언제 그런 일이 있었는가 싶을 정도로 무심하게 흐르고 있었지요
때로는 바람에 잔물결이 일면서 여전히 뗏목들이 강을 따라서 내려오고
사람들은 차를 타고 강변을 달리고 있습니다
그 강변 한적한 곳에 무덤이 하나 생겼습니다.

부산의 다리들

주 호 성

동해바다 가로 지르는 광안대교를 타고
부산의 바다
부산의 산들
부산의 강을 건너보자

광안대교를 타고
남해바다에 이르면
영도 섬을 디딤돌 삼아
천마산 자락 넘는
남항대교에 이른다

남항대교
타다 보면 어느새
낙동강 하구
삼각주를 디딤돌 삼아
을숙도를 가로 지르는
을숙도대교
길게 누워서 낙동강하구 지나고

그리고 눌차도와 가덕도를 디딤돌 삼아
꿈에 그리는 한려수도 남해
거제도에 당도한다

낙동강의 다리 날개를 펴다

주 호 성

강 건너 서쪽
대동 백두산.너머로 해가 저물면

종일 강물 위에 엎느려 있넌
다리 기다렸다는 듯

도시의 밤
화려한 불빛 무대 삼아

흐르는 강물 위에서
비상하는 한마리 새가 된다

낙동강의 다리는
그렇게 자태를 드러내고는

날개 짓 하며
시월 애(愛)
마지막 밤이 다가도록

철새처럼 어디론가
날아가고 있었다.

삼월 삼짓날

주 호 성

삼월
삼짓날이 되면

강남 간
제비 돌아오는 날

한 송이
국화를 위해
소쩍새
울음 울듯이

먹구름 울고
꽃 피우는 봄을
시샘하는 찬바람
불어오면

그 바람 따라
제비 돌아오는 날

삼월 삼짓날
봄을 시샘하는
바람 불지라도
그 바람 따라
제비 돌아오는 날

고향의 항구

부산항 북 항을 바라보며
웃으며 온다
부산항구

정들은 부산항구
정든 사람
보고 싶어

까꼬막 동네
깜박 깜박 불빛
정겹다

먼바다에서 보면
직입니다

부산의 야경
못잊어
돌아왔다 부산항에

울리는 뱃고둥 소리
돌아왔다
부산 항구야

꿈속의 고향

내 고향 남쪽바닷가 부산
정겨운 산과 들 고향의 강

고향의 바다 고향의 포구 그리고
언젠가 돌아가야 할 꿈속의 포구

해운대 장산 와우산 기장 불광산
달음산 정관 병산 자락 흘러내려

펼쳐진 자락과 동해바다의
검푸른 물결이 어우려져

고만고만한 해변 가 옹기종기
면면히 삶의 터전 일구어진 포구

기장바닷가 십삼포구 그 이름들은
화사을포. 월내포. 임을랑포, 칠암외포,
두모포. 기포. 공수포. 독이포. 무지포,
이을포. 동백포. 죽성포. 가을포
십삼포로 가는 길
현실과 꿈 사이에 또 하나의 포구, 소망포

꿈길 어디 쯤에선가
소망의 포구에서 닻을 내리고 쉼을
누리는 이들 볼수 있으려나.

님아 그 강을 혼자 건너지 마오

주 호 성

정신적인 스트레스를 앓고 있는 아내가
요즘 들어서 부쩍 증상이 나빠졌다

호전되어 가는 듯 하더니
그 옛날 이스라엘 백성들이
요단강 건너편 젖과 꿀이 흐르는
가나안 복지를 찾아 강 건너듯
떠날 것처럼 말하곤 행동한다
세상의 정을 끊은 것처럼

사십년 광야 모진풍파 함께 겪어온
아내 아닌 다른 사람과 사는 듯하다
가슴 한쪽 귀퉁이가 내려 앉는다

애타는 속도 모르고 모르면
듣기만 해도 위안이 되는데
편견이 섞인 말 한마디가
억장이 무너지게 와 닿는 어느 날

약의 부작용을 온 몸으로 견디며
고통 받는 아내 입원한 기억, 고통이 오롯이 아직 남아있는데

어찌 짐승처럼 강제로
데리고 갈수 있으랴

말이나 소처럼 시냇가에 데리고 간다고 하자
강제로 물을 마시게 할수가 있으랴

님아, 제발 그 강을 혼자 건너지 마오.

나무들 비탈에 서다

주 호 성

"나무들 비탈에 서다"라는 작품은
1950~1960년대 동족상잔의 비극, 전쟁과 휴전,
그리고 사회적인 혼란과 격동기의 시대, 미래 불확실성의 시대
우리 아버지의 시대
당시 젊은 청춘들의 사랑과 갈등,
아픔을 그린 이야기이다

지금 시대는 어떠한가
젊은이들은 그들 나름대로 불확실한 세상을 겪고
결혼 마저도 회피하고 기피하는 시대,
공정과 정의와 기회와 균등은
일부 큰 목소리를 내는 층들에게만,

한 번도 경험 해보지 못한
바이러스와의 전쟁을 겪고 있지만
오로지 마스크와 면역력으로 이겨 내야만 하는데
백신은 아직은 확실한 믿음을 주지 못하고 있기에
소시 적에 추운겨울에 깡냉이 죽
배급 타려고 줄서서 기다리던 아픈 추억,

재난지원금 받으려고
줄서서 기다리든 지난겨울 생각이 난다.

고향의 역

주 호 성

경부선 구포역은
길 눈 밝은 부산 문디들이
애용하는 역이다

나에게는 고향역이다
신발 신다가 한번 자빠러지면 닿을 곳에
낙동강이 흐르고

하구 둑이 없던 시절
갈수기에 남해바닷물이
구포나루를 넘어 삼랑진 나루터까지
올라갔다고 하던데

거북이 머리를 들고 낙동강을 바라보며
엎드린 형상의 포구라고
옛날에는 '구복포'라고 불리우던 곳

오늘 하루도 고향 역
낙동강의 해넘이 바라보다

하루 또
하루가 저물어 가네.

비석마을 이야기

주 호 성

천마산 능선자락이 이어지는 아미산 기슭의 산비탈 마을, "비석마을"
일제강점기시대 부산에 살았던 일본인들의 무덤
공동묘지였던 부산 서구 아미산 기슭

욱일승천 기세로 대동아공영을 꿈꾸던 일본이
2차 세계대전에서 핵폭탄 두 방으로 미국에게 항복을 선언하고
황망하게 본국으로 돌아가면서
미처 이장하지 못한 일본인들 유골이
이곳 아미산 기슭에 묻혀 있었는데

1950년 6.25 사변이 터지면서
팔도의 피난민들이 연일 부산으로 밀려들어오자
피난민들이 터전을 잡을 만한 땅이
산비탈 밖에는 없었던 이유도 있었지만

부산의 원도심지에 가깝기도 하고
부두와 부산역, 국제시장 자갈치시장..등
생업에 접근성이 좋았던 이곳에 피난민들이
자리를 잡게 되었는데

부득이하게 일본인들의 공동묘지 였었던 아미산 비탈 산자락에
판자촌들이 들어서면서
건축자재가 부족 하였던 시절이라
어쩔 수 없이 공동묘지 무덤이 비서과
상석들을 건축자재로 사용하게 되었고
비석이나 상석을 축대로 사용하기도 하고
좁은 골목길에 계단으로 놓기도 하며

이렇게 하여 피난민들 삶의 둥지를 튼 판자촌 동네,
판자촌 마을이 생기게 되었다
"부산"! 하면 바다와 어우러진 야경이
아름다운 낭만의 도시라고 모두들 말들 하지만
부산의 숨어 있는 모습 도시의 뒤안길에는 피난 흔적들이 있다

죽은 자와 산자, 살려고, 살아 남을끼라꼬 몸부림 치는 동네...
그러한 마을들이 산이 낡은 부산의 산자락 위에 손재하고 있다

우리민족 근대사의 아픔, 피와 눈물, 땀...
그 흔적들이 생생하게 살아서 숨 쉬는 땅, 산 삐알 동네
이름 하여 "비석마을"

일본인들이 패망하고 황급히 돌아가면서
이장하여 모셔 가지 못한 무덤들
일본인들의 묘지, 유골위에...
산자들이 살아남으려고 몸부림치던 자들이
둥지를 틀게 되었다는...
가슴 시리게 아픈 사연
그 흔적들이 꿈틀거리며 살아서 숨 쉬는
부산 서구 아미동 산기슭 "비석마을"
이곳에서는 죽은 자의 망혼과 살아있는 자들이
아주 가까이 서로 등을 맞대고 등짝 비비며 살고 있다.

꿈 이야기

주 호 성

구약성경시대
옛날 중근동 서 아시아 지방
메디아왕국 "아스티아게스왕"의 꿈

어느 날 왕의 꿈에
자신의 딸 "만다네" 공주가 눈 오줌에
전 아시아 대륙이 물에 잠기는 꿈을 꾸었는데
잠자던 꿈속의 공주"만다네"는 오줌싸개 였었던가 ?
아버지의 꿈에 보일 만큼 자주 쌌었던가?

훗날, 오줌싸개 "만다네 공주"의 몸에서
태어난 아들이 장성하여 "바벨론"(지금의, 이라크)을 무너뜨리고
"메대 바사 제국"(페르샤, 지금의 이란)을 세웠으며
"바벨론"에 포로 잡혀 와서 70년간 노예생활, 종살이 하고 있던
유대민족(이스라엘)을 해방 시켰던 위대한 왕 "고레스왕"이다.

외 할아버지 "아스티아게스왕"이 꾼 꿈은
"고레스 왕"의 탄생설화에 얽혀 있는
전설을 낳은 꿈이었었다.

한 해를 마무리하면서

주 호 성

세상이 어쩌다 이 지경까지 오게 되었을까
피자 한판 값이면 누구나 아무나
마약을 접할 수 있는 세상
배달의 민족이라
택배도 된다고 하더라

정치꾼 노숙자들 책임일까
法이 물러 터져서 일까
세상 물정 잘 모르고
법 공부만 한 판사들
귀에 걸면 귀걸이 코에 걸면
코걸이 식 판결 탓을 할꺼나

아님 아담과 하와의
후손들이라 유혹에 약해서
의지 박약한 유전자 탓 할까

잘 되면 내 탓이오
못 되면 조상 탓으로 돌릴꺼나

70평생 걸어오면서
내가 남긴 발자국, 흔적들

지울 수만 있으면
그 흔적들 지우고 싶은 길
많았었다.

횡 설 수 설

주 호 성

낙동강 경부선
기찻길 한 바퀴 돌다가
뜬금엄시 떠오르는 어느 철학자의 말

"인생은 B와 D사이의 C 다"

"인생은 탄생(Birth)과 죽음(Death) 사이의 선택(Choice)이다"
라고 말한 어떤 철학자의 말이 생각납디다

인생길 마지막 순간까지
우리는 선택을 피할 수 없다는 것이다

어떤 유명 연예인의
마지막 선택을 보면서
최후의 선택을 하고 행동에 옮기기 전까지
얼마나 많은 고뇌를 했을려나

인생은 빠꾸가 없습디다
달리는 기차처럼 말입니다

늘 경부선 기찻길 배회 하면서
깨달음을 얻었습니다
마약의 유혹에 빠지면
곧 인간으로서의
卒業하는 날
종치는 날임니다.

연 말 단 상

주 호 성

2030부산엑스포는
인자 낙똥강 오리알 됐꼬
늙으막엔 뭔가 기다리는 마음이 있어야 살맛이 있을낀데

우짜믄 존노
갑진년 2024년 새해
용(龍)의 해가
다가오고 있습니더
그것도 푸른 용 청룡(靑龍)이라 캅디더

전설속의 동물인 용(龍)은 옛날부터
신령한 영물로 대우를 받았는데
뛰어난 사람들을 용(龍) 비유
하기도 하였지요
특히 임금님들, 황제들... 말입니더

심지어는 그들이 입는 옷을
용포, 곤룡포라고 부르던 시절도
있었슨께 격세지감이 느껴집니더

임금님이 싼 똥은 "용분"
임금님 앉는 의자는 "용상"
임금님 화가 났을때는 "용용"죽겠지~^
임금님 뿌린 씨는 "용종"
임금님 흘리는 눈물은 "용의 눈물"
임금님의 마음은 "용심"
임금님의 얼굴은 "용안"
임금님께서 계시는 동네는 "용산"

우리들의 중학생 시절

주 호 성

그때 그 시절에는 "시청각교육"이라는 이름으로
 전교생이 오전 오후 반 씩 나누어
극장에 영화를 보러 가던 때가 있었는데

그때 본"닥터지바고"라는"추억의 명화"를
"겨울장마"덕분에 거실에 앉아서 다시 보게되었다

넓은 설원과 하얀 증기를 내뿜으며
눈밭을 헤치며 달리는 기차
봄이 오면 흰 눈밭이 변하여
온갖 아름다운 꽃들로 물들어 가는 풍경
그리고"유리 지바고"와 "라라"의 아름답고 슬픈 사랑의 이야기

세 번째 도서관에서의 만남 이후
잠시 달달한 만남을 이어가던 두 사람 앞에
"빅토르"가 나타나 협박을 하는 바람에
우여곡절 끝에 다시 헤어지게 되고

십 여년의 세월이 지난 어느 날
모스크바에서 "유리지바고"가 전차를 타고 가다가
우연히 차창 밖으로 길을 가던 "라라"를 보고는
급하게 전차를 내려서 뛰어가며 소리 내어 불러보려고 하지만
부르지도 못하고 더 이상 발걸음도 옮기기 전
갑작스런 심장마비를 일으켜 쓰러져 죽고 마는데...

소싯적에 이 영화를 보았을 적엔
어려서 "불륜"이 무엇인지도 몰랐고
시방 늙어서 다시 보는 영화 이지만

흔히 뉴스에서 접하는 그런 불륜처럼 느껴지지 않는 것은
아마도 그 시대적인 상황이 그들에게
그렇게 필연처럼 다가오지 않았을까

어느 날인가 처음 본 여인으로 부터
상당히 깊은 인상적인 느낌을 받았었고
또 전쟁터에서 의사와 간호사로
두 번째의 만남도 있었었기에
세 번째의 만남에서는 그들도 피할 수 없는
운명적인 사랑 이었으리라

#닥터 지바고, 추억 속의 명화 줄거리

볼세비키(Bolsheviks) 혁명당의 당원으로 입당하여
한 지역을 다스리는 높은 지위에 있던
"유리지바고"의 이복형이 "유리"와 "라라"사이에 태어난 딸,
혈육을 찾는 과정에서 과거를 회상하는 형식으로
이야기는 시작된다

"유리 지바고"는 아버지가 세상을 떠난 뒤
8살 때 어머니 마저 세상을 떠나고
어머니쪽 친척 "유리지바고"에게는 아저씨뻘 되는
부유한 가정에서 자라게 되는데

병들고 가난한 사람들을 위해 의사가 되기로 결심하고
의과대학을 다니던 중 어느 날 집 앞거리에서
"빵과 일자리.."동포애와 자유, 평등"이라고 쓴 천 조각을 들고
시위하는 대학생들과 시민들을
"말을 타고 총칼로 무장한 기마병"들이 해산시키는 과정에서
학생들과 시민들을 무차별하게 살해 하는 것을 목격하고는
큰 충격을 받게 되는데

대학을 졸업하고 "유리지바고"는
자신을 키워준 친척아저씨의 딸 "토나"와 결혼하여
둘 사이에 아들까지 태어나게 되고
이 무렵 여주인공 "라라"는 대학생 이었고
그녀에게는"학생운동"을 하는 "파샤"라는 연인이 있었는데

어느 날인가 "파샤"가 피투성이가 되어
상처를 입은 채 "라라"를 찾아 와서는
권총 한 자루를 맡기며 남기고 간 말은
"이제는 더 이상 평화스러운 시위는 끝났다"고 그러던 어느 날인가

 "라라"는 그녀의 어머니와 내연관계에 있었던
"빅토르"라는 중년남자로 부터 저녁식사 초대를 받는데
식사자리에서 반 강제로 술을 마시게 되고
"빅토르"에게 성폭행을 당하게 되는데

그리고는 어머니에게 이 사실을 알리겠다고
위협하는"빅토르"의 협박에 못 이겨
미묘한 관계가 이어지는 듯 하고
이런 사실을 알게 된 "라라"의 어머니는
크나큰 충격을 받고 음독자살을 시도 하였었지만 미수에 그치는데

어머니가 극약을 마시고 죽으려고 하였다는 소식을 듣고
"라라"는 애인 "파샤"가 맡겨둔 권총을 숨기고는
"크리스마스파티"와 "무도회연회"가 열리고 있는 곳으로 간다
그곳에 "빅토르"가 있다는 소식을 들었기에...

부유층들 지배계층 귀족들은
"크리스마스파티"아 무도히, 카드게임을 즐기고 있었지만
추운 밤거리에는 "빵과 일자리","동포애와 자유",..."평등"을 외치는
대학생들과 시민들의 데모는 계속되고 있었고

"크리스마스" 축하 파티장 한쪽에서
"빅토르"는 카드게임을 즐기고 있었는데
그 자리에 나타난 "라라"

숨겨온 권총을 꺼내어 "빅토르"를 향하여 쏘지만
빗맞아 팔에 상처만 입히고
"라라"는 자신이 총을 쏘기는 했지만
사신의 모습에 스스로 너 놀란 채 서 있는데

사람들이 "경찰을 부르려고" 하지만
큰 상처를 입지 않은"빅토르"는
경찰을 부르지 말라고 당부하는데

이때 파티장 문을 열고 "라라"의 애인 "파샤"가 나타나
증오에 찬 눈초리로 사람들을 보고는
"라라"의 어깨를 감싸듯 껴안고 데리고 나간다

그때 그 파티장에서 "유리지바고"도 아내"토냐"와 함께
그 모든 광경을 목격하게 되고
이것이 "라라"와의 운명적인 첫 만남이었던 것이다

 그 후 유럽에서 "제1차 세계대전"이 발발하여
러시아도 전쟁에 개입하는데 "유리지바고"는 의사로서 참전힌다

이때 부상병들을 치료하는 병원에서
"간호사"로 일하고 있는 "라라"를 만나게 되는데
이것이 두 번째의 만남 이었다

전쟁에서 "러시아"가 "독일"에게 패하자
 300여 년간 통치해 오던 "로마노프"왕조의 무능과 부패에
화가 난 지식인층과 농민들 그리고 전쟁터에서 돌아오는 군인들을
 "볼세비키"들이 선동하여 "로마노프왕조"를 타파하는 운동이

"볼세비키혁명"으로 이어지는데

전쟁터에서 의사로서의 참전을 마치고
제대하여 모스크바의 집으로 돌아오니
오랫동안 남편을 기다리는 아내"토냐"와의 기쁨도 채 나누기도 전에
"붉은 완장"을 왼쪽 팔에 두른 "인민위원회"대표들이 나타나
"제대증명서"를 보자면서 참견을 하고
이미 자신의 집에는 "13가구의 인민"들이 집을 점거하고
함께 동거하고 있었던 것이었다

그 무렵 지역책임자로 공산당간부가 되어 나타난 이복형의 도움으로
"여행허가증"을 받아 모스크바를 떠나 멀리 시골영지로 가지만
그곳에도 저택은 출입금지로 폐쇄 된 상태
어쩔 수 없이 근처 오두막에서 살게 되는데

어느 날 무료함을 달래기 위하여 하루는
인근에 큰 마을에 있는 도서관에 갔다가
그곳에서 "라라"와 세 번째의 만남이 이루어 진 것이다.

모래 조각상 앞에서

주 호 성

곧잘 무너지고 부서지는 모래로
우리에겐 익숙하고 정겨운
풍경들을 쌓아 올렸습니다

동물의 왕국에서 한때는
인간들의 가장 유용한
교통수단으로 사랑을 받은 말(馬)
그리고 가장 순하고
약한 토끼의 모습도 보입니다

물고기와 굽은 소나무
고래등같은 기와집
마치 화평하고 평범한
우리의 일상이 담겨져
있는 것처럼 보입니다

그러나 모래는 곧잘
부서지기도 합니다

현재 이 시대를 살아가는
우리들의 평범한 삶도
소소한 희망도 평화도
한 순간의 모래처럼
곧잘 무너져 내리는 시대를
우리는 살아내고 있습니다.

추억 속의 명화, 추억 속의 올드 팝
- 카사블랑카-

주 호 성

"카사블랑카는"북아프리카 대륙"에 있는
"모로코"의 대표적인 도시의 하나로
해양강국 이었던 "스페인"과 포르투갈"이
옛날에 서로 차지하려고 다투던 곳이기도 하다
하지만 "포르투갈"에 의하여 건설된 도시라고 한다

"카사블랑카"는"라틴어"에서 유래된 말로 "하얀집"을 뜻 한다
"북아프리카"의 서쪽에 위치하고 있어
"포르투갈"의 "신트라" "카보 다 호카"처럼 해가 지는 곳이다.
특히 석양이 아름다운 곳으로 알려져 있다

"북아프리카"지역에 위치하고 있지만
도시의 풍경이나 건축물등 거리의 모습은
유럽의 어느 도시를 연상케 한다는데...

카사블랑카 영화 줄거리는 다음과 같다:

때는 바야흐로 "제2차 세계대전"이 한참이던 시절
"북아프리카"모로코"의 "카사블랑카"에는
전쟁을 피하여 미국으로 가려는 사람들로 북적거리고 있었다

전쟁 중에도 여전히 술집은 장사가 잘 되었던지
술집을 운영하고 있던 "미국인 남자 주인공 "릭"에게
어느 날 나치에 반대하던 "레지스탕스"운동을 하였던"부부"가 찾아오는데
그 이유는 미국인인 "릭"에게 미국으로 가는 비행기 표,
즉 여권을 부탁하기 위해서이다

술집 주인 "릭"은 자신을 찾아온 "부부"를 보고는 깜짝 놀라는데
"부인(잉그리드 버그만)"이 예전에 자신과 "연인사이"였던

"일리자"이었던 것이다
"프랑스"의 수도 "파리"가 "나치독일"에 함락되자
 "모로코의 항구도시" "카사블랑카"에는
미국이나 다른 나라로 망명하기 위하여
피신하려는 사람들로 붐비고 있었고
그들 중에는"레지스탕스" 운동을 하였던 주요 인물들을 잡기위하여
"나치독일"의 "비밀경찰"들도 눈에 불을 켜고 있었다

저들이 "반 나치운동가"들을 체포 하려고 설치고 다녔었던 무렵
술집주인 "릭"은 자신과"연인"사이 였었던 "일리자(잉그리드 버그만)"를
한눈에 알아보고는 생명의 위협을 무릅쓰고 우여곡절 끝에
비행기 표를 구해다 준다

예전의 연인이었던 "릭"이 목숨을 걸고 위험한 순간을 견뎌 내면서
마련해 준 여권을 들고 비행기 트랩을 올라서는 "일리자"의 두 눈에는
눈물이 흐르고 울음을 삼키는데...
"일리자 역"을 맡은 "잉그리드 버그만"의 애수에 찬 눈빛은
아직까지 뭇 남성들의 가슴속에 남겨져 있다고 해도
지나친 표현은 아니지 않을까...(백수생각)

"릭"이 예전에 "프랑스"파리"에 살았을 때 연인으로 지냈던 "일리자"
전쟁이 터지자"일리자"는 함께 미국으로 가기로 약속하고
"기차역"에서 기다려도 "일리자"는 오지 않았고
"릭"은 더 이상 지체 할 수가 없어
어쩔 수 없이 혼자 떠나오게 되었는데
미련 때문이었던지 미국으로 가지 않고 "카사블랑카"에 눌러 앉아서
술집을 운영하고 있었던 것이다.
"일리자"가 "릭"이 구해준 여권을 가지고 미국으로 떠나기 전날 밤
와인 잔을 마주하면서 서로가 서로에게 마지막으로 남긴 말

  "당신의 두 눈동자에 건배 ! "

낙동강 연가(洛東江 戀歌)

주 호 성

낙동강(洛東江)은 얼지 않는다

우리 갱상도 문디들에게는
어머니의 젖줄 같은 江

가야, 가락의 동쪽에 있는 江이라고
낙동강(洛東江), 천년신라의 전설을 품은 江

임진왜란, 육이오사변, 민족애환의
역사를 안고 흐르는 역사의 江

길이로 치면 북한의 압록강 빼고
대한민국에서 제일 기나긴 江

우리민족에겐 생명줄 같은 江
육이오 사변 때낙동강(洛東江)을 배수진으로

북한의 침략을 막아낸
최후의 보루 낙동강(洛東江)

수 많은 군인들과 민초들 흘린 피가
강물과 하나 되어 흘렀었고

우리나라 근대화의 동맥 핏줄로서
영남지방에 세워진 수많은 공장들이

공업용수로 끌어들여 쓰고 다시 또
흘러 보내었던 낙동강(洛東江)

오염된 강물이기에 하구에 살던 재첩마저 죽어서
오래전에 사라진 江

오염된 뻘로 죽어가는 江, 낙동강(洛東江)
그럼에도 문디들의 식수원으로 강물로서
사명을 다하고 있다

우리나라의 경세적인 노약을
한강의 기적이라 카던데
택도 엄는 소리, 아이라카이
낙동강(洛東江)의 기적이라고 단언코말 할 수 있다

군사정권에 의하여
영남권에 세워진 많은 공장들의 공업용수로서
洛東江 만큼 쏟아 부은 강물이 어디에 있었던가

또 그 오염된 강물을 견뎌내며 묵묵히 마시고 있는 문디들
군사독재정권이 고향 까마구 생각에
갱상도에 공장을 많이 지었었는데
묵꼬 살끼라꼰 땅 밖에 없었던 전라도

처녀 총각들 부산의 고무공장, 방직공장, 신발공장, 보세공장에 와서
돈 벌어서 문디들캉 시집장가 들고
이제는 자식들 마저도 시집장가 다 보내고
갱상도 문디들과 함께
문디가 되어서 늙어가고 있는 江,

속이 깊은건지 미련 곰탱이인지
그 속을 누가 알리오마는

전쟁과 평화

주 호 성

이스라엘과 하마스의 전쟁을 보면서
인간들의 세계 역사를 되돌아보면
전쟁이 끝나는 날, 종전은 없었다

전쟁광 독재자들이 전쟁을 일으킬
명분을 쌓는 시간으로 이용된 휴전 뿐이었다

어떤 무능한 대통령 중 한분께서는
"종전선언"을 했다꼬 전쟁이 없을 것이고
안 일어 난다꼬 생각하는 모양인데
푸하하 쫌 거시기한 생각이라고 볼 수 있다

아프리카 동물의 왕국에서도
싸움이 끝나는 날은 없다
힘쎈 우두머리 숫 사자가
늙어서 제힘을 다 발휘 하지 못하거나
아니면 코끼리 무리나 들소 떼들
먹이사냥 하다 상처를 입거나 해서 몸 상태가 좋지 않을 때 까지
젊은 숫 사자들이 잠시 숨고르기 하며 기다리는 시간이다

그리고 때가 되면 상처를 입거나
아니면 늙어서 이빨 빠진 우두머리
숫 사자를 몰아내고 암컷 사자들을 독차지 한다

그리고는 자기 핏줄이 아닌 늙은 숫 사자의 피를 이어 받은
어린 숫 사자를 모조리 물어 죽인다

"사람과 동물"의 다른 점은 무엇인가
"남성과 여성"의 다른 점은 무엇인가
남자(남성)들은 골백번 죽었다 깨어나도 "올챙이" 한 마리 낳을 수 없다
"올챙이" 모습 비스무리 하게 생긴 정자는
억쑤로 몸속에 비축하고 있지만

그러나 "여자(여성)"들은
특별히 신제에 실병이 있는 경우를 세외 하고는 모두
"어머니"가 될 수 있는 신체 구조를
가지고 있는 분들이다

"조지오웰"의 "동물농장"이라는 소설의 비유가 그러하다고 해서
"여성(여자)" 이라는 이유로
"여자"들을 "암컷"이라고 부르는 사람은 없다

"암컷과 수컷"은 오직 아프리카 "동물의
왕국"에서만 존재 할 뿐이다.

울산태화강 상류에 있는 절벽 벼랑 "선바위"에 대한 전설

주 호 성

태화강 상류 쪽에 커다란 바위가
사람이 서 있는 거처럼 서 있다꼬 선바위

옛날 옛적에 태화상에서 어떤
아지매 셋이서 빨래를 하고 있는디
게 중 한 아지매가 무심코 강 저쪽을 바라본께
커다란 바위가 물위로
걸어오는 기라~깜놀~!!!

음마나 "야덜아~! 저거 쫌 보래이
바위가 물위로 걸어 온다"

이렇게 오두방정을 떨어쌌는 바람에
걸어오던 바위
문디들 목소리 울매나 거시기 했던지
문디 아지매 큰 목소리에 깜놀~!!!

물위로 걸어오던 바위
강 그자리에 멈춰 섰다는 이바구

ㅋㅋㅋ
믿거나~말거나
전설 따라 삼천리~^^

낙동강에 살으리랏다

주 호 성

느릿느릿 강줄기 따라 가는 길
세월은 나를 짊어지고
나는 세월을 지고 간다

무심히 흐르는 강물은
아랑곳 하지 않는다

누가 누구를 짊어 졌던지
무성한 나뭇잎 다 떨어져도

앙상한 가지에 부는
바람이 매정스러워도

오늘 따라 강물은
왜 그렇게 서슬 퍼렇게
시퍼런 하늘을 담았는지

계절이 바뀔 적 마다
번히는 강줄기 바라보며

갈 수 있는 데까지 가 보는기라

혼(魂)술 퍼마시는 백수

주 호 성

회사 댕기다가 퇴직한지
어언 십 육년이 넘다본께

시월의 마지막 밤인데도
언 늠 한 늠
술 한 잔 하자꼬 전화질 하는 늠 엄슈

세상에 같이 술 한 잔 찐하게 기우릴 수 있는
친구 하나 엄시
마주 앞에 앉은 마나님 눈총 맞으며
반주랍시고 魂술, 홈 술 홀짝거리다 본께

궁시렁 궁시렁 세상이 와이리 됫는겨
그래도 나만 그런기 아이고
 주위에 비스무리한 넝감들 많은 기 큰 힘이 됩디더

내 나이 쯤 되면
내 나이가 무슨 罪를 지었는지
재활용 쓰레기 수거하는 날
술병처리 할끼라꼬
들고 나오는 넝감테기들 끼리

그럴리는 없겠지만
혹씨라도 서로 눈이라도
마주 칠까봐 겁납디더.

삼포로 가는 길

주 호 성

70리 진해바닷길 어딘가에
삼포라는 포구가 있다기에
찾아 나선 길

구부러진 해변 길 저 만치
보이는 조그만 포구

산길 걷다가 고갯마루 한 굽이
넘을적 마다 삼포가 보이려나

기대에 찬 눈길을 보내지만
더 먼 곳에 있다고 하네

70리 진해바닷가 길섶에
서 있는 이정표가 남은 여정을
말하는 듯

날은 저물어 가고 삼포로 가는
길 어귀 들어선 것만으로 만족하고

아쉬움 남긴 채 발걸음을 돌린다
내일을 기약하면서

아직, 나에게 내일이 있으니까.

축제의 기원

주 호 성

시월을 무슨 축제의 달처럼 여기는지
온 동네방네 무슨 무슨 이름 붙여서
축제 하느라고 난리입디다

축제의 기원에 대하여 한번 이야기 하겠습니더
사람들의 인지가 발달하기 전
농업과 목축으로 생계를 유지 할 적엔
가뭄이 들믄 "기우제"를 지내고 했습니다

그리스신화에 보면 신(神)들도 남신(男神), 여신(女神)이 있었는데
하늘에서 비가 내리지 않으면
남신~녀신들이 금슬이 나빠져서
얼레리~꼴레리~"거시기"를 안하고
각 방을 쓰는기라 생각 했다 캅디다

그래서 신들의 "거시기" 기분을 돋우기
위해 인간들이 남신~녀신 神像 앞에서
남자와 녀자들이 거의 반라의 몸으로
밤이 새도록 음란한 춤을 추고
광란의 밤을 보내곤 했다고 합디다

대표적 사례가 브라질의 삼바축제
인간들의 그런 모습을 보곤
하늘의 男神~女神이 춘정(春情)이 동하여
운우지정을 나누게 되고

그 결과 하늘에서 비가 온다고 생각을
했다고 하는데서
축제의 기원을 찾아볼 수 있습니다.

기장 죽성 포구드림 성당

주 호 성

"SBS 드라마 드림"의 세트장으로 많은 사람들이 찾는 곳
바다 전망이 좋은 곳에 있다 보니 드라마 종영된 후에도
계속하여 보존하고 있다고 하는데
기상 "죽성포구"는 기상바닷가 십삼포구 중에서도 구석진 곳
교통이 불편하고 외진 곳에 있는 조그만 포구이다
시퍼런 바다와 갯바위에 부서지는
하얀 포말이 내려다보이는
갯바위 벼랑가에 서 있는
유럽의 어느 성당을 연상하게 하는 죽성 드림 성당
푸른 하늘과 하늘 빛깔을 그대로
담은 바다 언덕배기에 서노라면
나도 모르게 청춘의 꿈꾸던 시절을 회상하게 된다
드라마속에서 "성모마리아상"이 서 있었던 곳에는
푸른 파도를 형상화한 굴렁쇠 형상의 "죽성 드림 홀" 이라는
"포토존"이 자리를 대신하고 있다
그리고 "여기, 우리, 드림"은 "부산갈매기"를 형상화 시킨 것이다
캐릭터 이름은 "부기",
부산갈매기의 첫머리와 끄트머리 글자에서 따온 것 이라 카던데...
각설하고
나에게도 아직 하나 남아 있는 "드림", 꿈 하나 있다면
다시 한 번 자전거타고 전국팔도를 누비고 다니는 것인데
건강과 여건이 허락해 줄런지......
남아 있는 꿈 하나, 꿈의 페달을 밟고 너에게 갈 수 있다면
시시한 별들의 유혹은 뿌리쳐도 좋았다.[3]

---

3) 최영미 시인님의 시집, "꿈에 페달을 밟고"에서.

카 스 트 라 토

주 호 성

유럽의 중세시대
종교암흑시대 "로만 카톨릭"의 전성시대
"여자는 교회에서 잠잠하라"는 "성경 귀절"을 잘못 해석하여
교회 성가대는 물론 오페라 무대에서 조차
여성들의 참여를 불허하던 시절이 있었다

그러나 여성들의 소프라노 음성은
절대적으로 필요하였음으로
변성기 이전의 소년들의 남성 생식기를 거세하여
여성들의 음역인 "소프라노" 음역을 대신 하였던 것인데

우리네 조선왕조시대 내시, 환관처럼
"남성생식기"를 거세당한 성악가들이
서구유럽에서 존재 하였었다

거세된 비운의 성악가, "카스트라토"
남자이면서도 오페라 무대에서 "소프라노" 음성을 내던 성악가들
그들에게 아마도 남아 있었던 꿈이 있었다면

백수생각에는
당당한 남자로 거세당한 "거시기"를 도로 붙이고
노래하는 것이었으리라.

기장 바닷가, 십삼 포구길

주 호 성

부산 기장바닷가
갯바위 해변 둘레길 따라
바다를 터전으로 면면히 삶을 이어가는
고만 고만한 포구에는

띄엄 띄엄
올망 졸망 포구들이
열 세 개 나 늘어서 있다

청사포, 가을포, 동암포, 무지포
월전포, 죽성포, 이을포, 동백포,
이동포, 칠암포, 임랑포, 월내포, 화사을포

갯바위에 부딪치는 파도
일렁이는 포구길
검푸른 파랑 은빛 윤슬4) 바라보며
가을을 만끽하며 가는 길

---

4) 햇빛이나 달빛에 비치어 반짝이는 잔물결.

슬픈 마음 있는 사람들

주 호 성

사람들은 왜, 바닷가에 오면
버릴 것을 생각하는지

저 푸른 파도 하얀 포말의
유혹에 그렇게 혹해야 하는지

바닷가 길이 때로는 어떤
사람들에게 그런 느낌을 주는가

삶의 고통 속에서 허덕이는 자
슬픈 마음 있는 자

떠나가는 배, 돌아오는 배
비록 빈 배 저어 돌아올지라도

떠나가는 배 보다
돌아오는 배 위로가 될 텐데

슬픈 마음 있는 사람들이시여
모진 마음 없는 사람들이시여

인간들에게 상처받고
환멸을 느끼는 인생들이시여

엔간하믄 부산 바닷가에 오지 마시라
오실거믄 그냥 바라만 보고 가시라.

가을에 걷기에 좋은 길, 오랑대 시랑대의 땅

주 호 성

"오시리아"해변 길
"오시리아"를 풀이하자면
'오'는 '"기장 오랑대"' 갯바위를 의미합니다
'시'는 "시랑대 바위"를 뜻하지요
'이아'('리아')는 외래어로서 "땅"이라는 의미를 지니고 있습니다
그래서 오랑대, 시랑대의 땅,
"오시리아"라는 신조어가 생겨나게 되었습니다

예를 들자믄, "앗시리아"가 변하여
"아시아", 아시아인의 땅이라는 의미가 되었듯이 ...

국가들 이름에 "스탄"이라는 단어가
들어간 나라들 경우도 마찬가지 입니다
"우즈베키스탄, 키르키스탄, 파키스탄, 카자흐스탄...등
"스탄"이라는 단어의 뜻이 "땅"이라는 의미를 지닌 "페르시아어"입니다
옛날 "페르시아제국"이 번성하던 시절 영향을 받은 것 같습니다

좀 고전적인 방식으로
"부산"의 새로운 명칭 하나 생각해 봅니다(백수생각)

"문디식끼리아" 또는 "갈매시키스탄"으로 적극 강추합니다

별이 빛나는 밤에

주 호 성

1970년대, 군사독재시절이었지만
낭만은 요즘 시절 보다 더 있었습니다

심야 라디오방송 프로 중
"별이 빛나는 밤에"라는 프로가 있었지요

우편엽서에 듣고 싶은 곡 간단한 자기소개
그리고 친구들에게 보내는 사연...등 등
같이 듣고 싶은 사람을 적어서 보내면

방송국 DJ는 노래에 대한 소개와
짤막한 사연을 읽어 주고는 신청한 곡을 들려주는 프로 였었는데
밤늦은 심야시간이다 본께 주로 팝송이나
분위기 있는 곡을 들려주었지요

집안 형편상 상급학교 진학을 포기하고
취업준비를 하던 때 같은 처지의 친구들과 가끔 들리던
남포동 음악다방

장발머리에 허여 멀금하게 생긴 녀석이 DJ로 있었는데
청바지 뒷주머니에 도끼만한 커다란 빗 꽂아 넛코
유리창 칸막이 뒤에 앉아서 신청곡 틀어주던
그런 시절 이었지요

근데 이 문디 DJ 자슥이 이쁜 여학생들 메모지만 골라서 틀어 주는기라
은근히 오기가 치솟습디다
다들 분위기 있는 팝송이나 번안가요를 신청하는데
지는 신청곡 메모지에 "울고 넘는 박달재"를 적어서

유리창 칸막이 안으로 밀어 넛코 자리로 돌아 왔습니다

ㅍㅎㅎ DJ 녀석이 지가 적어낸 메모지 받아 보곤 박장대소를 하면서
DJ 생활 몇 년에 처음으로 받아 본 신청 곡 이라꼬 소개 하믄서
틀어 줍디다

음악다방 여기 저기서 웃음소리 들리고
같이 산 친구들은 "쪽 팔린다 퍼뜩, 언능 나가자"하여

그래서 모처럼 신청곡 틀어 주는데
다 못 듣고 많은 사람들 시선 뒷 통수에 받으며
음악다방 문을 나선 기억납니다.

추억 속의 올드 팝, Vincent

주 호 성

 미국의 팝가수 "Don Mclean"이
"빈센트 반 고흐"의 그림 "별이 빛나는 밤"을 보고
"고흐"의 불우했던 인생 뒷 이야기를 듣고
그를 추모하는 감성으로 "Vincent"라는 곡을 만들었다고 합니다

전해지는 이야기로 "빈센트 반 고흐"는
어려운 환경 빈곤과 그리고 특히 천재들
뛰어난 예술가들에게 가끔 느낄 수 있는
특이한 성격, 개성, 인간관계로 인하여 상처를 받고
훗날에는 "자신의 귀"를 스스로 자르기도 하였는데
그 후에는 정신병원에 들어가기도 하였다고 합니다
그리고 "별이 빛나는 밤" 불후의 명작을
정신병원에서 요양 중이던 때 그렸다고 전해 집니다

어느 저녁 무렵 해가 지고 서쪽하늘에
제일 먼저 빛을 발하며 떠오르는 샛별, "금성"을 바라보면서
영감을 받아 그린 그림 이라고 합니다

"고흐"는 평소에도 입버릇처럼
주위 사람들에게 이렇게 이야기 했다고 합니다

"나는 별을 보면서 항상 꿈꾼다"
왜 우리는 더 이상 별에 가까이 다가설 수 없는지
살아서는 더 이상 별에 가까이 가기는 힘들 것 같다
죽음 만이 우리를 별에 데려다 줄 것이다"

고통과 인간관계로 부터 받은 상처가 얼마나 아팠던지
그것들로 부터 벗어나 자유하기를 얼마나 갈망했던지...

탈주범과, 추억 속의 올드팝 "Holiday"

주 호 성

때는 바야흐로~"1988"년도 10월 "서울올림픽"이 성공적으로 끝나고
대한민국 의 위상이 세계적으로 부상하던 시기
다른 교도소로 이송을 가던 수형자들이
호송 교도관들의 감시 소홀을 틈을 타서
수갑을 풀고는 탈출을 하는 사건이 일어나는데
이 사건으로 "12명의 죄수"들이
탈주를 하고 그중 일부는 서울시내로 잡입했다

그들 중 두목격인 "지강헌"외 4명이 서울시내 모주택에 침입 하고는
그 집에 사는 일가족들을 인질로 하여 "군경"의 포위망 속에서
인질극을 벌였던 사건이다

경찰들과 대치하는 과정에서
일부는 호송관들로 부터 탈취한 권총으로 자살을 하고...
최후의 순간 막다른 골목이라는 절망 속에서
탈주범 지강헌이 인질로 잡은 사람에게
마지막으로 들려 달라고 부탁한 곡이 "Holiday"이다
그는 이곡을 들으며 권총으로 인생을 마감 하였는데
그들이 마지막으로 남긴 말이 "무전유죄 유전무죄"
결국은 돈이 없어서
겨우"절도죄"나 "폭력" 같은 잡범에 불과 하였는데

돈이 없어 지은 "죄"에 비하여
너무나 무거운 형"을 받은 "불만"을
그렇게 밖에는 표현할 수 없었던 그들

그들의 죄는 밉지만 인간적으로
 "연민의 정"을 느끼며...

부산의 산복도로

주 호 성

부산은 바다도 많지만
산은 더 많다 천지빼까리다
부산의 산복도로는
육이오사변 피난 흔적길이다

초량 산복도로는 유난히
고바이 길이 더 많다
'고바이'는 경사가 가파른 비탈진
고개를 뜻하는 문디 사투리

우리 민초들의 피와 눈물과 땀
그 흔적이 오롯이 남아있는
부산의 산복도로
고바이 길 피난 흔적길

피난살이 애환이 살아서
숨 쉬는 까꼬막 고바이길

몰려온 피난민 땜시로
부산의 고바이 산 삐알마다
무허가 판자촌들이
빼곡히 들어섰다

빡빡한 하루살이 삶, 고달픈 몸 이끌고
어린자식들 기다리는 까꼬막 판자촌
달동네 집으로 올라가던 고바이긴.

부산 자랑 질

주 호 성

밥도둑 명란 젖갈
명태 알로 맹건 젖갈
짭짭한 밥도둑

명란섯 발상지가
부산 동구 초량 "남선창고"라는 사실

일제강점기시대 우리나라
최고의 물류창고 였었던
부산 초량의 남선창고는
국내에서 잡힌 명태를 집결 보관하던 곳

당시 부산사람들은
멸치젓갈에서 힌트를 얻어
남아도는 명태 알을
소금에 절여서 먹었다고 합니다

부산이 원조인 먹거리들
이루다 말할 수 없습니다

가야 밀면, 당면으로 만든 비빔 면,
18번 완당, 아나고 회, 냉채족발,
짚불 곰장어 구이, 동래파전,
산성 막걸리, 씨앗 호떡...등 등 등

경부선 원동역

주 호 성

경부선 "원동역"과 "삼랑진역"은
경부선 기찻길에서 경전선"목포행 완행열차"로
갈아탈 수 있는 마지막 驛이다

옛날 70년~80년대 부산에 신발공장
보세공장이 한창 번성하던 시절
수많은 전라도 처녀총각들이
부산에 있는 공장에 취직하여
시집장가들 밑천 장만하여
추석, 설 명절에
전라도 고향 가는 기차 갈아타던 곳

고향에 가서 부모님으로부터
결혼 승락 받아 오겠다고 하며 떠나간 후
소식 한 장 없는 무정한 전라도 처녀 총각들 땜시
순둥이 경상도 문디 처녀총각들
속 많이 문드러져 내려앉았던 驛이기도 하다

추석명절, 설 명절에 고향 가는 기차 갈아 타던 곳
사귀던 갱상도 문디 처녀 총각들과
이별의 아쉬움을 남기고 가던 경부선 원동역

삼랑진에서 "경부선"기찻길은 두 갈래로 갈라져서 간다
한 선로는 밀양 쪽으로 올라가 서울 가는 기찻길이 되고
또 하나이 선로는 낙동강을 가로 지르는 삼랑진철교를 지나서
김해, 진영, 한림정, 창원, 마산, 의령, 군북, 진주, 하동을 지나
섬진강 철교를 건너 전남 순천을 경유하여 목포역 까지 간다.

육십령 고갯길 산마루에서

주 호 성

육십령 고갯길 넘고 보니
날이 갈수록 추억소환 하는 날이 많아 졌습니더

4대강 국토 종주 자전거길이 개통 된지
어언 10년이 지났습니더

기차에 자전거 싣기도 하며
전국팔도로 자전거 타고 댕기던
시절이 꿈만 같습니더

가는 세월 따라 그나마
남아 있던 청춘의 혈기마저
모두 다 날아 가 버렸습니더

살아본께 세월만큼
겁나는 거 없습디더

어느 고갯길 어디까지
올라갈 수 있을는지.

바람 불어도 좋은 날

주 호 성

생전 처음 맞이하는
큰 바람이라고 호들갑들 떨었지만
오래 전 부터 바람은 늘 우리 곁에 있었고 불어 왔었다
내 어렸을 적 불어 온 큰 바람 사라호 때는
양철지붕이 하늘을 날아 다녔다고 하더라

바람의 계절이 되면 늘 큰 바람은 불어 올 것이다
그리고 바람은 자신의 사명을 다 할 것이다
그것은
인간들이 오염시킨 강물과 바다를 뒤집어엎는 일이다

어디선가 오늘의 바람은 일어나고 불어오고 있을 것이다
그리고 내일은 또 내일에의 바람이 일어나고 불어 올 것이다
불어오는 바람 속에서 바람은 바람의 길을 가고
바람 잘 날 없는 세상 속에서
우리는 우리의 길을 가는 것이다
바람은 바람의 길을 가고
나는 나의 길을 간다

좀 잠잠한가 싶으면
불어오는 것이 바람이다
가지 많은 나무에만 불어오는 게 아니다
가지 작은 쬐그만 나무 가지에 부는 바람

ㄱ 바람을 견뎌내는
작은 나무가 더 애처롭다.

이 기 대(二妓臺)

주 호 성

조선시대 동래영지(東來營誌)에 나와 있는데
임진왜란 당시에 왜군들이동래(東來) 수영 성을 함락시키고
경치 좋은 이곳 바닷가 갯바위 너른 바위 위에서
승선 축하산지를 벌였는데
수영권번의 기생 두 명이 왜군장수에게 술을 과하게 권한 다음
술에 취한 왜장을 양쪽에서 껴안고 함께 바다에 투신 한 것에서
이기대("二妓臺, 기생 두 명)라고 불렀다고 기록되어 있다.

조선시대 제일 무능한 임금 중 하나인 선조는
백성들 버리고 지 혼자 살끼라꼬
평양으로 피난 보따리 싸서 토낄 적에
우리네 여인네들 비천한 기생의 신분이지만
애국심 하나는 거룩했다

지금 시대는 어떠한가
폭우로 인한 피해로 민초들은 개고생 하고 있는데
구캐의원들은 외유를 떠났다가 여론에 돌아오고
"우리동네는 괘안타 아이가" 하면서 꼴프 치러 댕기지 않나
입 만 뻥긋히믄 늘 민초들 걱정 하는 거 치럼 쇼하면시
지 밥그릇 챙기기에 급급한 정치꾼들과
그 주위에서 콩고물 떨어지는 거 줏어 무걸끼라꼬 맴도는 어떤 여자

"정치지망 노숙자"의 망언은 도를 넘는다
투표권을 갖고 장난치면
베락맞을끼다 느거는 평생 젊을 쭐 아나
그라고 느거는 아직 내 만큼 안 늙어 봤쩨
나는 느거들 만큼 젊어 봤봐
늙어 보지도 몬 한 것들이 까불기는...

낙동강은 돌아오지 않는다

주 호 성

강원도 태백 함백산에서 발원하여
천 삼백 리 물길
굽이굽이 흘러
경상도 문디들 땅
두루두루 도는 동안에

도깨비 같은 장맛비 만나
홍수 지기도 하고
때로는 여름 태풍 가을 태풍에
노도처럼 흐르지만

그래도 갈라서지 않고
이 골짝 저 골짝 지류들 모아
오로지 품은 꿈 하나
바다가 되는 꿈

꿈꾸던 바다를 목전에 두고는
기어히 세 갈래로 갈라서고 만다

한 줄기는 너른 대저 들녘의 유혹에 서 낙동강이 되어
김해평야를 품에 안고 흘러가서는
마침내 꿈꾸던 바다가 되고

다른 한 줄기는
낙동강 하류의 모래 등, 모래 섬
일응도와 을숙도를 만나

일응도와 을숙도 때문에
또 두 줄기로 갈라서야만 했다

한 줄기는 을숙도 하단 수문에서 두 물머리 맞대고
다대포로 흘러 남해바다가 되고

다른 한 줄기는 을숙도 명지수문을 통과하면서 부터
꿈꾸던 바다를 이룬다

한번 바다로 간 강물은
나시는 돌아오지 않았다

다만, 봄철 보리이삭이 필 무렵이면
강물 따라서 바다로 간 물고기
웅어라고 불리우는 늠
바다에서 한세상 잘 노닐다가

잠시 열어 놓은 수문 틈새를 비집고
산란기를 맞아 알을 낳으려고

고향의 강
낙동강으로 돌아올 뿐이다.

황산 벼랑길

주 호 성

괴나리 봇짐지고
과거 보러가던 황산 벼랑길

조랑말타고
마차타고 한양 가던 벼랑길

보부상들 등짐지고
가던 천리길

그 길 위에
일제강점기시대

일본 사람들이
기찻길을 놓았었다

지금도
민족의 대동맥으로

사명을 다하고
낙동강 황산 벼랑길을

달리고 있는 경부선
기찻길.

칠월애(七月哀)

주 호 성

올해 칠월만큼 도깨비처럼
내렸던 장맛비가 있었던가

폭우와 산사태
지하차도 침수로 인한 참사

자연재해라고
그냥 넘기기엔 그렇다

거기에다가
제방 둑 무너진 것처럼

홍수처럼 밀어 닥치는
학부모들의 지나친 자식사랑

등살을 견디다 못해
등 떠밀리듯이 주검을
택할 수 밖에는 없었던

어느 선생님의 주검이
우리를 슬프게 한다

인간이기를 포기한 어떤
인생의 낙오자

그가 저지런 묻지 마 폭행
묻지마 살인

인간의 심성이
어디까지 나락으로
떨어져 내릴 수 있는가

내가 불행하다고
자신의 불행이 길 가던
사람들 때문인 것처럼

애먼 사람 죽여 놓고는
정작 자기 자신은 죽이지
못하는 비겁한 인간

그런 인간들이
지금 우리사회 어딘가
어느 길목에서

서성거리고 있는 현실이
더욱 더 우리를 슬프게 한다

어쩌다가 우리가 사는 세상이
이 지경이 되었을까.

정의감에 불타는 돈키호테

요즘 우리 대통령님 통치 스탈이 거의
돈키호테 비스무리 하다는 생각이
뜬금엄시 듭디더

나토회의 참석하셔서 좋은 외교성과를 거두셨는 디
끝났으믄 퍼뜩 본국에 돌아 오셔야 제

머 하신다꼬 전쟁미치광이 푸틴 캉
전쟁 중인 우크라이나 까지 가셔서

"생 즉사 사 즉생"이라는 말씀
너무 과하신 말씀이옵디더…

정의감이 너무 넘치신건지
아이믄 정치초보~라서 그러신 건지

우리가 그 짝동네 전쟁판에 낑기들 형편 아이다 아입니꺼~
격려 차원의 말씀으로 치시기엔 너무 오버페이스 같습니다.

숲속 둘레 길을 걷노라면

주 호 성

숲속 길을 걷노라면
산새들의 울음소리 들으며

그윽한 풀꽃들의 향기
이쁜 자태에 눈길이 머문다

이름을 알았는데
갑자기 생각이 나지 않는다

이름을 알면 이웃이 되고
모양까지 알면
연인이 된다는데

육십여 년 전 골목동네
소꿉친구들 이름은 아직도
기억나건만

얼마 전 알았던 들꽃 이름
금세 잊어 버렸네.

다 이 아 나

주 호 성

'다이아나'는 달의 여신을 뜻하는데
다이아나의 다른 이름은 "아르테미스여신"
또는 "아데미 여신"이라고 부른다

"신약성경 사도행전"에 보면 "사도바울"이
사람의 손으로 만든 우상
즉 "신상"은 신이 아니다 라고 외치고 다녔었는데

"아르테미스 신상" "아데미 여신상"을 조각하여 팔던 사람들,
은장색5)이 생계에 위협을 느끼게 되자
사도 바울 일행을 핍박하는 이야기가 나온다

당시에 그리스 아테네, 투르크 지방 등 "소아시아 지역"에서
사람들이 신전을 지어 숭배 하던 여신 "아데미"는
그리스, 로마신화에 나오는 "달의 여신" "다이아나"이며
지역에 따라서는 "아르테미스"라고 부르기도 한다

태양 신 아폴론의 이름으로 날아가 발자국을 찍은 달의 정복은
은장색의 얄팍한 상술을 깨트린 신화의 허탄함인가 ?
과학주의 망상으로 핥칠 해버린 신화에의 낙서인가 ?
그 어떤 다른 진정한 신화, 신의 이야기를 하고자 함인가 ?

---

5) 은장색(銀匠色 , silversmith): 은을 녹여 물건을 만들거나(삿 17:4; 잠 25:4) 은을 두
   들겨 펴서 물건을 만드는 사람(행 19:24). 즉, '은세공업자'를 뜻한다(대하 2:14). 당시
   그들은 대개 우상을 제작했었다(사 40:19). 라이프 성경사전.

아리랑 이야기

주 호 성

우리나라의 대표적인 아리랑노래
"강원도 정선아리랑"
"경상도 밀양아리랑"

"정선아리랑"은 비탈진 언덕 산자락
밭이 많은 강원도 비탈 감자밭에서
아낙네들이 밭을 매면서
느릿느릿 구성지게 길게 **빼**는 멋이 있고

"밀양아리랑"은
경상도 문디 아낙네들의 화통한 성격처럼
가락 곡조가 어깨춤이 덩실덩실 나도록
경쾌한 멋이 있지요

그렇지만 아리랑 노래가사에는
민초들의 사랑과 애환 그리고 다소 해학적이면서
정감이 넘쳐 납니더

밀양아리랑과 아랑아씨의 전설을 이야기 하자면
옛날 밀양 부사 댁에
"아랑"이라는 이쁜 따님이 있었는데
관아의 육방관속들 잔심부름이나 하던 어떤 젊은 사령 늠이
"아랑아씨"를 짝사랑 하던 중 아랑의 유모를 금전으로 매수하여
달구경 핑계로 밀양강 영남루 근처 대밭으로 나오게 하는데

영남루 달구경 가자고 꾀어 낸 유모는 잠시 자리를 비워 주고
이틈에 젊은 사령늠 아랑에게 접근하여 추근대며
사랑고백을 하였으나 받아 주지 않아
앙심으로 아랑아씨를 살해하고 영남루 근처 대밭에 묻었다는 것

하룻밤 사이에 무남독녀 외동딸이 실종 되자
백방으로 찾았으나 딸을 찾지 못한 아랑의 아버지는
낙심하여 벼슬자리를 내어놓고 낙향을 한다

신임부사가 부임하여 오지만
새로 부임한 부사들 마다
부임 하자마자 주검으로 발견 되는데

나라에서 신임부사를 무관들 중에
엄선하여 내려 보내게 되었고
신임부사 부임 후 첫날 관아에서
하룻밤을 보내게 되는데

밤 이슥한 시간, 달빛이 교교하게 창가에 비치고
달빛 그림자 지는 벽 한 귀퉁이에서
여인의 흐느낌 소리가 들리는 게 아닌가

"날 좀 보소 날 좀 보소 내 말 좀 들어보소" 하는 소리와 함께
머리카락을 풀어 헤친 하얀 소복의 여인이 입가에 피를 흘리며
벽을 등지고 서 있었는데

전임부사들은 아마도 여기 이 대목에서
모두 심장이 마비되어 정신 줄 놓고
"길 없는 길"을 떠났을 것이다

담대한 신임부사는 "게 누구냐 사람이냐 귀신이더냐" 묻게 되었고
이때 원귀가 되어 나타난 아랑의 하소연을 듣게 되는데

아랑은 자신이 나비가 되어 범인의 어깨위에 앉아 보이겠다며
새벽 첫 닭 우는 소리에 홀연히 사라지고

담날 아침 신임부사는 육방관속들,
관아에서 일하는 모든 사령들을 불러 모으고 점고를 하는데
어디선가 노랑나비 한 마리 날아 와서
어떤 젊은 사령늠 어깨 위에 내려앉는 것이 아닌가?

그리하여 신임부사는 젊은 사령늠을 추궁하여 실토하게 하고
원귀가 되어 구천을 떠돌던 아랑의 넋을 위로 하고
편히 잠들게 하였다고 한다.

날 좀 보소 날 좀 보소
날 좀 보소 동지섣달
꽃 본 듯이 날 좀 보소

긍께 원귀, 귀신을 본 듯이 보고
놀라서 기함을 하지 말고
정신 단디 차리고 날 좀 보고
내 말 좀, 내 하소연 좀 들어 보소 라는 의미가
담겨져 있다고 합디더.

날 좀 보소 날 좀 보소 날 좀 보소
동지섣달 꽃 본 듯이 날 좀 보소
아리 아리랑 스리 스리랑
아라리가 났네 아리랑고개로 날 넘겨주소

 물명주 단속곳 치마는 널러야 좋고
 홍당목 치마는 붉어야 좋다
 시어머니 죽고 나니 방 널러서 좋고
 보리방아 물 부어 논 거 생각이 난다

 남의 집 서방님은 가마를 타는데
 우리 집에 저 문디는 밭고랑만 탄다.

소설 '갯마을'6)

주 호 성

갯마을 1

해순이는 저 바다가 때려죽이고 싶도록 밉다
나이 스무 셋에 청상과부가 되었으니
바다를 원망할 수 밖에는

보재기(해녀)의 딸로 태어나서
어쩌다가 고깃배 타는 총각 성구를 만나
이곳 바닷가에 시집온 지 몇 해

오늘도 새벽 동해남부선 기차 가는 소리
거치른 파도가 돌담 밑 갯바위 때리는 소리에 잠을 깬다

남편 성구는 칠성이네 고깃배 타고
고등어 잡이 나간 후 영영 소식 없고
또 다시 고등어 철이 돌아 왔건만
칠성이네 배 소식은 깜깜하다

성구가 칠성이네 배를 타고 먼 바다로 떠난 뒤
이틀인가 사흘 뒤 쯤 됐을려나
멸치 후리막 주인이 신문지 한 장 들고 와서 전한 소식은
일본 대마도 근해 근처 바다에서 고등어잡이 하던 어선들이
큰 풍랑에 뒤집히고 휩쓸려 출어한 고깃배들이 많이 실종되었고
수색중인데 어선 몇 척은 행방불명이라

그 소식을 듣고 마을의 나이 많은 넝감님들은

6) 일제강점기시대 지금의 기장바닷가를 배경으로 한 난계 오영수의 단편소설.

- 74 -

담베락 밑에 모여 앉아 피우시던 담뱃대를 탁탁 털고서
일어서며 뒷산(달음산)을 원망한다
뒷산(달음산) 꼭대기가 옴팍하게 두 쪽으로 갈라져
음기...터가 쎄서 우짠다나 그래서 마을에 과부들이 많다며
가만히 서 있는 뒷산 달음 산 탓을 한다

마을 전체가 초상집이 되었다
스무 가구 남짓 조그만 포구에 울음소리 가득하고
한 이틀 지나고 난께 울음소리도 잦아든다
다들 한자락 희망의 끈을 놓지는 않는다

갓 스무살 넘어서 인생의 단맛 제대로 알기 전에
청상과부 된 사람도 서른 넘어서 인생의 단맛 좀 알만 한께
졸지에 과부가 되버린 사람도
한결 같이 마음속으로 붙잡는 것은
설마, 죽었을라꼬
...

갯마을 2

다시 돌아온 고등어 철은 조그만 갯마을에
아픈 상처만 들쑤신 채 지나 가버렸고
해순이는 남편 없는 시집에 가장이 되어
오늘도 물질을 나서는데
갯바위에 앉아 잠시 볕에 몸을 말리고 앉았다가도
멀리 수평선에 배의 돛만 보여도
행여나 칠성이네 배 이런가 한참을 바라보건만
지나가는 배다

봄 멸치 철이 돌아왔다
사람은 세상 한번 떠나가면 돌아올 줄 모르지만
계절만큼은 어김없이 돌아온다

앞집 순이네는 홑치마만 걸치고
언능 나오라고 재촉을 한다
멸치 후리막에는 벌써 멸치후리꾼들 사이에 끼여서
동네 아낙들이 그물의 밧줄을 땡기고 있다
해순이도 그네들 틈에 끼어 들어서
아낙네들과 함께 그물을 땡긴다
아낙네들은 홑치마만 입고
온 몸에 와 닿는 후리꾼늘의 억센 손길이
짓궂게 부딪치는 몸짓이 은근히 싫지 않은 표정이다

그물을 다 땡기고 나서 품삯으로
멸치 그물에 딸려온 잡어를 받아 돌아 오는 길에
아낙네들은 해순이의 바구니를 쳐다보면서 한마디씩 놀려 댄다
해순이의 삯이 더 많아 보인다는 둥

상수라는 젊은이는 이모네 집에 놀러 왔다가
멸치 후리꾼으로 눌러앉아서 후리막 일을 거들고 있다
물질에 얼마나 피곤하였던지
귀신이 업어 가도 모르게 깊은잠 빠졌던 날 밤

야야, 문고리 단디 잠구고 자거레이 카던
시엄니의 말 잠결에 들렸던가
해순이는 가슴을 짓누르는 입박감에 잠을 깼는데
자신을 덮치고 있는 사내 상수였다
머리 속 생각으로만 그친 채
반항 한번 고함소리 한번 내지 못하고 겁탈을 당한 것이였다

마을 아낙네들 사이에 상수와 해순이
그렇고 그런 사이라는 소문이 나고

"해순아 니 내캉 같이 살자
우리 고향에 가면 논도 있고 밭도 있다

성구도 없는데 이기 무슨 고생이고"

이렇게 되어 상수를 따라 두메산골에
두 번째 시집을 왔었건만
남편 복도 지지리도 없지
상수마저도 일제 징용으로 끌려가고

해순이는 또 남편 없는 시집살이에
밭을 매다가도 멍하니 넋을 잃고
동쪽 산비탈을 바라보기도 하고
호미를 놓고는 바다가 보일려나 싶은
높은 산등성을 오르기도 하는데

상수 어머니는 며느리가
매구한테 홀려서 그렇다며 굿을 준비한다

이 틈에 해순이는 산골짝 마을을 빠져 나와
바닷가 갯마을로 향하는데
아들의 두 번째 기일이 며칠 남지 않은 날
돌아온 며느리 해순이를 보고
첫 남편 성구어머니 시집간 딸 친정에 돌아 온듯이 울먹이고
동네 아낙네들 친동기 다시 돌아 온 것처럼 반긴다

해순이는 바닷가 쪽에서 들려오는
꽹가리 소리에 잠을 깼다
돌담 넘어 숙이네는 퍼뜩 나오라고 야단이다

달음산 자락에 초아흐레달이 걸리고
달그림자를 따라 보기 드물게 큰 멸치떼가 들어온 것이다
해순이는 홑치마만 입고 뛰어 나간다
멸치 후리꾼들의 구성진 가락이 들려 온다

"에해야 데해야 썰물에 돛달고
　갈바람 맞고 가소~에해야 데해야"
"에해야 데해야 샛바람 치거든
　밀물에 돌아 오소~에해야 데해야"

멸치 후리꾼들의 구성진 가락과
발바닥에 닿는 새벽 찬 모래의 감촉이 가슴 속 깊이 저며 드는데...

갯마을 3

가는 세월 따라서 세상 만물은
가고 또 오고 순환을 하지만
사람은 세월의 물결에 한번 휩쓸려 가면
다시는 돌아오지 않는다

사람과 사람 특히 남녀 간의 정도 마찬가지
정녕 다시 돌아오지 않는 것이 만고불변의 진리 이런가

남편 없는 시집살이에도
세월은 잘도 흐르고
첫 남편 성구엄니 살아 계실 적에
집 나가서 다시 돌아 온 며느리 걱정 되셨던지

입버릇처럼 해만 지면
"야야 문고리 단디 잠그고 자거라" 카시던 시엄니도
세상 떠나신지 몇 해

그럭저럭 세월이 흘러
일본 본토에 원자폭탄이 떨어져
징용 강제로 끌려갔던 사람들도
돈 벌려고 자원해서 일본에 간 사람들도

방직공장에 취직 시켜 준다는 꼬드김에 넘어 간
위안부 처녀들도
강제로 끌려 간 처녀들도
해방이 되어서 돌아왔다

각양각색의 모습으로 돈 벌어서 온 사람들도 있었고
고국산천 떠날 때와 별반 다를 것 없이
맨 몸 뚱아리만 겨우 돌아 온 사람들도 많았다

그러던 어느 날
앞집 숙이네가 기장 장날 장 보러 갔다가
읍내 다방에서 나오는
징용 끌려간 상수를 보았다고 하는게 아닌가

너무나 몰라보게 달라진 모습이라...
머리에 뽀마드 기름 잔뜩 칠하고
가다마이 말쑥하게 차려 입은 상수
나까오리 모자 한 손에 들고
다방 앞에 서서 레지 아가씨와 희희낙락 하길래
한참 먼 발치에서 숨어서 보고 또 보고 했지만
상수가 맞더라 카는 말을 전하는데

남녀 간의 정도 흘러가는 물 같은 것
흘러 간 물이 다시 물레방아를 돌릴 수 있으려나
아서라 말아라 남자 복 지지리도 없는 년
마음 떠나서 돌아오지 않는 남정네 다시 찾아간들
어디에 쓸끼라꼬 스스로 위로 하면서

늘 변함없이 맞아주는 바다
갯바위 부딪쳤다가 시퍼렇게 멍만 들고 밀려가는
하얀 포말을 바라보며 오늘도 물질을 나간다......

4월은 잔인한 달, 찬란한 슬픔의 봄인가 ?

주 호 성

영국의 시인 "T.S.엘리엇"은
4월을 "잔인한 달" 이라고 표현을 하였었는데
잘 이해는 되지 않았지만 시적인 표현이라 그러려니 하였었지만
요즘처럼 나이가 들다보니 니름대로 이해가 되기도 한다

4월이 되면
온갖 꽃나무들 하며
들풀들이 흐드러지게 꽃을 피우며 지고 하는데
광야, 황무지와 같은 빈 들녘에
새순, 잎 한 장 피우지 못한 채
서 있는 나무들

자연의 세계만이
그런 것은 아닌 것 같다

어떤 이들에겐
4월은 꽃 피고 새 우는 희망의 봄일런지는 몰라도
또 어떤 이들에겐
4월은 가장 잔인한,
찬란한 슬픔의 봄일런지도 모른다.

불후의 명곡 ''보리밭"이야기

주 호 성

가수 문정선이 불러서 비로소 대중들에게 널리 알려지게 되고
불후의 명곡 반열에 오르게 된 ''보리밭"이야기입니다

보리밭 노래의 탄생 배경

"6.25 사변"시절 전국팔도 사람들의 피난처 "부산"에는
웃 동네에서 음악을 하시던 분들이 대거 피난을 왔었기에
한동안 대중음악의 중심지가 되었지요
한 때 임시수도가 되기도 했었구여

우리에게 너무나도 친숙하고 잘 알려진 노래
"보리밭"의 출생지는 "육이오사변" 전쟁 통에
부산의 "자갈치시장" 에서 태어난 사실을 아시는 분들은
그리 많지는 않을 듯

"보리밭"의 작곡가 "윤용하"님께서 "6.25 사변" 전쟁 시에
종군 작곡가로 활동 하시던 무렵
같은 고향출신 같은 "황해도" 출신 시인 "박화목"님과
"부산 자갈치 시장통"에서 고향 까마귀끼리 앉아서
객지 피난살이 설움에 어릴적 고향, 그립던 시절 떠올리며
그리움을 한잔에 술에 타서 마시다
보리밭"의 추억을 회상하게 되고
그렇게 되어 이 곡을 작곡하게 되었다고 합디다
"취중한담" 나누다가 "불후의 명곡"이 탄생하게 된거지요

해방, 이승만 독재시절, 살벌한 골육상쟁, 육이오사변 전쟁 거치던
암울한 시대, 칠흑 같은 어둠의 시대, 고난의 시대,
뒤를 돌아보아도 도움의 손길 누구 한사람 보이지 않았던 시절

민초들의 서정적인 감성이 듬뿍 담겨진 노래, "보리밭"
두고 온 고향 "황해도 은율"의 보리밭을 떠올리며
처음에는 노래 곡목을 "옛생각"이라고 지었으나
"보리밭"으로 바꾸었다고 합디다
"박화목"시인님께서 노랫말을 붙이다 보니
"보리밭"이 더 어울린다고 생각하고 노래 제목을 보리밭으로 고친거지요

평생을 지독한 가난으로 집 한 채도 자신의 명의로 가저 보덜 못하였고
음악하는 사람이 자신만의 낡은 오르간 하나 없이 살다가
미처 정리 되지 않은 오선지 뭉치만 남긴 채
하늘가는 길을 떠났다고 합디다.

해운대 달맞이 고갯길

주 호 성

달맞이 고갯길, 일명 "문탠 로드(Moon tan road)",
달빛을 받으며 걷는 길이라는 의미

해운대 달맞이 고갯길은
해운대" 장산"의 능선자락이 흘러내린
와우산(臥牛山), 소가 바닷가를 등지고 엎드려 있는 형세라
그렇게 부릅니다

그 고갯길 십오 굽이 꼬부랑길을
달맞이 고갯길이라고 부르는데
송정 청사포까지 이어져 있지요

"문탠로드(Moon tan road)", 달맞이 고갯길
산허리에 있는 해송과 "사스레피 나무"
다소 생소한 이름을 가진 나무숲이 우거진
바닷가 절벽 베랑 길에 있는 조그만 오솔길입니다

길 바닥에 조명등이 설치되어 있어서
달빛이 비치는 밤, 걷기에 좋습니다
사스레피 나무와 해송 사이로 달빛이 비치고
그 달빛에 일렁거리는 검푸른 바다
파도 철썩거리는 소리……

괜찮지 않아도 괜찮아

주 호 성

봄이 오는 길목에서 살얼음판 길을 걷는 기분이다

성격이 소심하고 내성적이라
나름대로 늘 인생길 살아오면시

조심하고 돌다리도 뚜디려 보곤
때로는 둘러 가기도 했는데

인생길 복병은 늘 뜻하지 않는 곳에서
먹잇감 찾는 표호하는 사자처럼

방파제가 허술한 곳을 찾아 넘보는
시퍼런 파도처럼 넘어 오더라

괜찮지 않지만 괜찮다 판도라의
상자 속엔 아직 希望이 남아 있으니.

매화꽃 피는 계절

주 호 성

섬진강 광양 "홍쌍리 아즘씨 梅" 매화꽃 하고
낙동강 원동 기찻길 옆 오막살이 "넝감님 梅" 매화꽃 하고
다른 점은 이러하다

지가 자전거타고 배알도에서 섬진강댐까지 세 번씩 다녀온 사람 임돠
매화 철에는 기차타고 몇 번 가기도 했지요
우리 동네 낙동강 원동매화는
섬진강 광양매화에 비교 하자믄유
매화나무 쪽수도 훨씬 모자라고
더구나 기찻길 옆 철둑길 매화는 위험한 곳이라
가꾸는 사람도 엄꼬
잡초 덩굴에 시달려
겨우 목숨만 유지하고 있는 실정 입니더
섬진강 광양 홍쌍리 매화에 비하믄유
동네 구멍가게 수준도 못 됩니더

광양의 홍쌍리 아짐씨梅는
대형마트, 롯데마트, 홈플러스, 이마트 급 이지요
체급 차이가 나도 너무 납디더
근디 한 가지 짚고 넘어 가야되는 중요한 점 하나는
광양 홍쌍리梅는 너무 상업적이라는 사실임돠
전국팔도에서 관광버스 수십대 씩 몰려 와서는
좁은 지방도로 다 차지하고
거기에다 팔도의 장똘뱅이들, 엿장수들, 품바타렴에
이건 머 매화꽃 구경하러 온기 아니구여
팔도의 장똘뱅이들 품빠타령
보러 온 것 같습디더

몰려든 인파에 떠밀려 댕기느라
매화꽃 사진 한 장 지대로 담기 힘들어유

지는 풍경사진을 주로 찍는디
찌걸라 카믄 사람들이 낑기는 바람에
사진 찍는 것도 사람들 눈치 봐야 되쥬

거기에 비하믄유
우리 동네 낙동강 원동梅
기차타고 시골간이역에 내려서 다음 하행선 열차시간 까지는
4시간 넘게 여유가 있슨께
꽃구경 실컷하고 아기자기한 사진 담고.
매화꽃 사이로 지나가는 기차소리
매화향기 가득하고
이따금 불어오는 낙동강 강바람에
매화꽃 이파리 흩날리는데

오막살이 넝감님의 후손 아들 손주 며느리 꾸버서 파는 파전에다
막끌리에 한잔
아니면 봄 미나리 돼지삽겹 꾸이에
한잔의 쇠주

지가 우리동네 지랑질 너무 한 거 같네유
한마디만 더 할껴 결정적인 한방은
섬진강 홍쌍리梅는 소문난 잔치에 무걸 끼 엄똬는 거쥬
본 고장의 음식은 엄꼬
장똘뱅이들 파는 음식 뿐
강을 끼고 매화꽃잎 흩날리는 사이로
기차가 달리는 장면은 볼 수가 없어유
긍께 낭만이 없다는 거쥬......

매화나무 심은 뜻은

주 호 성

원동 매화마을 이야기
오래된 옛날 이야기는 아닙니더
삼 사십년 쯤은 되었을라나

토곡산 자락이 끝나는 휘어진 산허리
낙동강 물과 만나는 곳
휘어진 산허리 따라서
휘어져 가는 기찻길에 심은 매화나무

매화나무를 보면 그다지 고목은 아니라
그렇게 생각됩니더
토곡산 자락 끄트머리 집 앞에
경부선 기찻길이 지나고
낙동강이 바라 보이는 나즈막한 언덕빼기
경부선 기찻길 옆 오막살이에
어떤 넝감님이 사셨다고 합디더

기찻길 옆 조그만 밭떼기
기차소리 시끄러워 그런지
심는 작물마다 시원찮고
더는 심을 만한 작물도 마땅찮기도 하고
계절 따라 뭔가 심기도 귀찮하기도 하고 해서
제 짐작입니다만
아마도 그래서 매화나무 몇 그루 심었을 껍니더

세월이 흐르고 넝감님 돌아가신지 오래 되었지만
넝감님께서 심으신 매화나무 몇 그루
심은 뜻은 잘은 모르지만
매년 봄 매화 철이 오면
조그만 시골마을 간이역 원동역에는
평소 경전선 열차 세 대 경부선 열차 두 대 쯤 정차하는 한가한 시골
역
봄 철 매화 철이 돌아오면 특별열차가 증차되고
평소에는 걍 통과 하는 경부선 열차도 쉬어 갑니디

낙동강 경부선 기찻길 옆 원동마을에는
매화꽃 구경 온 사람들로 간이역 원동역 북새통을 이룹니더
이맘때 쯤 영남알프스 골짝 맑은 물로 재배한
봄 미나리도 제철이기도 하지요

봄 미나리와 돼지 삼겹의 만남
거기에 한잔의 쇠주
봄 미나리에 돼지 삼겹살 꾸이 즐기다 보면
하행선 무궁화호 열차 시간
딱 맞아 떨어지니더.[7]

---

7) 우리 엄마의 고향 안동 사투리, "떨어지더라고요"

태종대 전망대

주 호 성

60여 년 전 여기 태종대
절벽 벼랑 가에 자살바위 라는
이름마저도 흉물스러운
바위 절벽이 있었다

1950년대~70년도 초반 무렵까지
많은 해는 한 해에 30명 가까이
벼랑아래 바다로 점프 하였었던 곳

육이오전쟁으로 급작스럽게
인구가 불어난 부산 산 삐알마다
판잣집들이 들어서고

자갈치시장, 국제시장, 부산역전, 부산의 부둣가는
날품팔이로 연명하는 사람들이 부지기수 였었다

우리민족의 격동기 고달픈 보릿고개 넘던 시절
생존에서 뒤쳐진 사람들
아무리 둘러 봐도 기댈 구석 보이지 않았던 사람들

絶望에 빠진 사람들이 택할 수밖에 없었던 길, 막다른 길
키에르케고르는 絶望을 죽음에 이르게 하는 병 이라고 말하였었는데

태종대 자살바위
절벽 벼랑 끝에 서 있었던 사람들

벼랑 끝에 선 사람들

주 호 성

태종대 벼랑길에
자살바위 라는 흉물스러운 이름을 가진
벼랑이 있었다

絶望을 죽음에 이르게 하는
병이라고 하였던가

바닷가 벼랑 끄트머리 전망 좋은 곳에
신발 두짝 가지런히
벗어 놓고

신고 있었던 검정고무신 마저도
무겁게 느꼈었던가

하늘을 향하여
쪽빛바다를 보며

날개를 단 새처럼
날아 오르던 사람들

그 옛날 그 사람들
하늘 향해 점프하던 자리에 서다

해파랑 길 위에서

주 호 성

해파랑 길에서 바라보는
부산 기장바닷가 아홉 포구

오륙도 해맞이언덕에서
시작하여

강원도 고성까지
해안선을 따라가는 길

이름 하여 "해파랑길"
동해바다 떠오르는 해와

일렁이는 검푸른 파도
파랑을 바라보며 걷는 길

해파랑 길에서 만나는
포구들

기장바닷가 아홉 포구
고만고만한 포구에서

면면히 삶을 이어가고 있는
정겨운 풍경들

아홉 포구 기장 구포(九浦)
그 이름들은 이러하다

미포, 청사포, 해운대, 가을포, 송정,

기장멸치, 대변 무지포, 이을포 일광,
동백포, 온정 동백, 독이포, 문동 칠암
기포, 이천 이동, 월내포, 임랑 월내, 화사을포, 고리
해운대 장산, 와우산, 기장 아홉산에서 달음 산으로
이어진 능선 자락 해안선을 따라
늘어선 조그만 포구들

한해가 다 서무는
겨울바닷가 포구 길

해파랑 길 위에서
바라보는 조그만 포구의 등대

날 저물면 돌아갈 집이
있다는 것 감사하지요.

고향집으로 돌아가는 길
소망의 포구

마중 나온 듯 서 있는 등대
돌아온 탕자를 버선발로
마중 나오시며
반갑게 맞이하실 우리 아버지

아버지의 집
본향으로 돌아가는 길.

십이월 단상

주 호 성

우리나라와 멀리 떨어진
옛날 옛적 이스라엘 나라
둘이 많이 닮았다는 생각이 든다

우리나라 강원도 땅만한 곳
땅덩어리 크기나 컸으면 몰라도
쪼맨한 땅 두동가리 난거 닮았고

남과 북으로 갈라져서
형제간 대가빡 터지게 싸우다
북쪽은 앗수르에게 멸망당하고

남쪽은 바벨론 느부갓네살 왕한테 포로 잡혀가
70년 동안이나 긴 세월 종살이 한 거 닮았다

디아스포라
티끌, 모래알 같이 흩어져 살다
한마음 뭉쳐서 돌아온 탕자
이스라엘, 다시는 분산은 없으리라

우리는 아직도
뭉쳐지지 않는 모래 알 처럼
남과 북, 보수와 진보
좌 우 갈라져 피 터지는 싸움 중

성치 못한 노숙자들은
민초들이 일치단결하고
한마음, 한 뜻이 되면

자신들 밥그릇 입지 좁아지기에

민초들 쓰라린 가슴
늘 헤집고 들어와
아픈 가슴 달래주기는 커녕
부추기고 들쑤시고

틈새를 노리고
철새같이 날아 와서는
한 세월, 잘 해 먹고는
철새처럼 날아간다

흥정은 붙이고
싸움은 말리라 하였건만
늘 민초들 편 가르고
싸움질 붙이는 써걸 늠들

좌우 할 것 없이 모조리
법성포 굴비처럼 엮어서
거국적으로 물갈이
한번 거하게 해야 될낀데......

시인과 나

주 호 성

가을바람에
낙엽 지는 길 걷다 보면

어느새 갈대아 어새
흐느끼는 강 언덕에 선다

흉보면서도
닮는다고 하던데

시인 흉내 내다 보면
어찌 닮지 않으리오

시어머니 흉보면서도
닮아가는 며느리

주책 소리 들어가면서도
시인 흉내 애쓰는 지공 거사(地空居士)

가을과 겨울사이
끼인 계절 간절기에는

애먼 세월 탓하며
시인과 나는 함께 걷는다.

사투리에 대한 추억담

주 호 성

아스팔트 길 위로 하루가 멀다하고
최류탄 가스 자욱하던 80년도 중반
부산 촌 늠이 회사일 땜 시루 한 두어 달
서울 출장을 길 일이 생겨서 서울에 가게 되었습니다
할부지께서 4대독자이시고 부산 토박이로
서울에 피붙이 라고는 없었지요

계셨다면 눈 질끈 깜고 꼽싸리 낑겨서
두어 달 정도 눈치 밥 좀 무거면 되는데
하는 수 없이 영등포 근처 비탈진 동네
2층 스라브 집에 하숙을 들게 되었는디

며칠 지나고 본께 하숙생활에 어느 정도 적응도 되고
길 눈도 밝아져서 이른 저녁밥 묵고 난께
출출하니 술 생각이 나데유
같은 방 쓰는 동료와 같이 낮에 봐둔 포장마차에 갔었쮸
한잔...또 한잔...

객지생활의 쓸쓸함을 코가 삐뚜러지게 달래고
내일 출근도 해야 되기에

포장마차를 나와 하숙집 대문 앞에 당도하게 되었는디
밤늦은 시간이라 대문이 잠겨 있더만유

초인종을 누르고 서 있슨께...
"누구세요"? 하는 하숙집 아지매 서울 말씨로 묻는 말에
언능 대답했쮸..."문 쫌 끼라주소"~!

아지매가~"끼라~주소" 하는 말을 몬 알아 듣고
자꾸만 반문 하는기라

"누구세요~? 누구 찾으시나요"~?

"아지매 그저께 부산서 온 사람입니더
문 좀 열어주이소~

교양 없는 사투리가 울매나 정나미 있고
거기시 한지 서울 깍쟁이덜은 모를껴~~

하나님께서도 질투 하신다

주 호 성

구약성경을 읽어보면
하나님과의 언약을 맺은 이스라엘 민족에 대한
하나님의 사랑과
또한 이스라엘민족이 하나님의 사랑을 배신하고
이방민족의 우상을 섬기는 배반의 역사 이야기가
비유이든 사실이든 그들 민족의 역사 속에 많이 등장하는데

우리는 흔히들 말하기를
"하나님의 사랑"을 무조건적 "아가페"적인 "사랑"이라고 하지만
그것은 성경전체를 통독을 하지 않고
신약의 일부 서신서나 요절들만 읽었기 때문이다

그래서 심지어는 예배당에 꽤 오랫동안 다니고 있는 분들 마저도
하나님께서 질투도 하시고 미워도 하신다는 사실을 모르고 있다
하나님께서도 당신을 아버지라 부르며 사랑하는 사람들을 사랑하신다
아무나 무조건 사랑하지 않으신다

구약성경을 읽다 보면 느낄 수 있는 "하나님의 사랑과 질투"
하나님"을 배반하고 우상 신을 섬기는 이스라엘 민족에 대한
미움이 가득하다
그럼에도 불구하고 오래 참으시며
때로는 징계도 내리시지만 또 용서하시고
"첫사랑"이시라 미련을 가지시고 오래 기다려 주신다

말라기 선지자 이후로 하나님께서
이스라엘 민족에 대하여 얼마나 실망하시고 노하셨으면
그 이후로 400 여 년 간 말문을 닫으시고
선지자의 말씀이 단절된 시대였다

소크라테스의 변명

주 호 성

가수 나훈아 땜시로 우리에게 더욱 친밀하게 느껴지는
철학자 소크라테스
누군가 말하기를 인생에서 "요조숙녀"를 만나면 행복한 삶,
저녁이 있는 삶을 누리게 되겠지만
반면에 악처를 만나면 철학자가 될 것이다"라고 하였는데
소크라테스의 부인 '크산티페'는 악처로 알려져 있다
그래서 "테스 형"이 유명한 명언들을 남겼던가

핑계 없는 무덤이 없다는 말이 있듯이
크산티페가 악처로 알려지게 된 원인이 있다
그 원인은 밤에 잠자리의 욕구불만에서 비롯되었다고 전해지는데
아마도 소크라테스 행님이 철학에 심취하여 열공하다 본께
잠자리 의무를 성실하게 다하지 않았던 모양이다

어느 날 크산티페가 독수공방을 참다 못하여 따지게 되었다
"왜 당신은 부부간의 잠자리를 멀리 하느냐"
이에 대하여 소크라테스의 변명 왈~^^
"당신은 애들의 어머니이며 신성한 모성의 소유자인데
어찌하여 장난감 인양 내가 희롱 하겠소"~ #@&#@#&"

 "테스" 행님아~! 변명을 고따우로 하믄
듣는 크산티페 행수님~ 쏙 디비 진당께~ 말이나 못하믄 밉찌는 안체"

그러다 보니 평소에 주위 사람들이 느끼기에
크산티페의 행동이 악처로 비추어 졌을 것이다
늠덜 마음 밭은 잘 일구어주고 거카더마는
정작 원초적 욕구에 갈증을 느끼고 있는 아내 크산티페의
밭 가는 일은 게을리 하였더란 말인가.

도둑맞은 미래

주 호 성

"우크라이나 사태"를 보면서
정치꾼들, 독재자들, 권력자들...
그들의 잘못된 생각들이 왜 우리 후손들의 미래를 **빼앗아** 가는지

꽃 피고 새들 지저귀기 시작하는 이 봄날에
왜 아까운 생명들이 전쟁에서 사라져 가야만 하는지
왜 그들의 미래를 도둑맞아야 하는지

쓰레기 통속에 버려진지 오래된 "레닌주의",
"진리는 총구에서 나온다"는 이념이
저짝 동네에서 다시 살아나 춤추려는가 !

작금의 우크라이나 전쟁을 보면서
왜 "북한"의 정은이가 핵을 포기하지 않는지
그 이유를 쬐끔 알것 같기도 하다

국경을 접하고 있는 "비단이 장사 왕 서방 띵호와"~도 못믿겠고
"시베리아의 곰"도 미덥지가 않고
"아메리카 양키"~는 더욱 그렇고...
"임기내~내 종전구걸"~ 하는 "남쪽 피붙이"~도 마찬가지이기에

그래서 중국을 등에 업고
백두혈통인 자신을 거시기 하려던 "고모부인 "장성택"이를
겁나게 처형시킨 것이라

조선시대 "세조"가 "단종"을 업어치기 한판으로 때려눕힌 역사를 알기에
"역사란 무엇인가 ? 과거와 현재와의 끊임없는 대화이다"라고
벌써 어느 유명한 석학께서 말씀 하셨듯이

역사는 어느 날 갑자기 땅속에서 새로운 역사가
솟아나는 것이 아니다

인간의 역사에 종전은 없었다
새로운 전쟁을 벌이기 위하여 잠시 휴전이 있었을 뿐이다

"평화", "화평"은 팽팽한 힘의 균형으로 이루어지고
"구걸"~로서는 평화를 유지하기가 더 이럽다는 것을
좌파 정치꾼들이 언능 알아야 될 낀데

대통령선거일이 코 앞인데
"좌측이 이기던지 우측"~이 이기던지
"진보와 보수"~의 팽팽함 속에서
그 누가 승자가 되든지 간에
겨우 몇 십만 표 차이로 근소한 승부가 예상 되는 것은
불을 보듯 뻔한데
제발
반대표 심을 거들떠도 보지 않는 그들 끼리끼리 만의 정치가
우리네 아들들, 손주들의 미래를 도둑질 하는 세상이
오지 않기를 바랄뿐이다.

행여 부산에 오실라카거든

주 호 성

 행여, 부산에 오실라카거든
기장바닷가 일출을 보러 오이소
다대포 장림포구 서산낙조 볼만한데
우울증 있는 사람 띤 맘 무걸까 겁나요

부산 영도다리 자갈치시장 통길 거쳐
송도 해변 길도 볼만하요 오이소,
보이소, 사이소, 자갈치 문디 아지매들
억쎈 사투리에 시끄럽꼬, 복잡꼬...

아무 때나 아무렇게나 오시믄 안 된다카이
날씨 봐 믄서 오이소
쇠 빠지게 걸어야 볼끼 더 많소
갈맷 길 걸을라카믄 신발 끈 단디 매소
기장바닷가 은빛파도 해파랑 길
영도 태종대 남항 흰 여울 해변 길도 볼만하지만
금강산도 식후경이라
먹거리는 기장 쪽이 풍성하제 하모

기장 짚불 꼼장어 구이, 양념구이
칠암 포구 붕장어구이, 아나고회
기장 연화리 할믜집 불타는 조개구이
전복죽도 그런대로 괘안타 카데요

봄철에는 무지포 기장대변포구
봄멸치 회도 빼 놓을 수 없지만
멸치 후리꾼들 흥겨운 노래 가락도 들을만 하다카이

흥얼거리며 멸치그물 털어대고
갈매기 떼들 울매나 날쌘지 아는교
하늘로 튀어 오르는 멸치 한 마리
잽싸게 물고 날개 짓 하는 포구

문디들 뿔뚝 성질머리 처럼
성난 파도가 갯바위에 시퍼런
멍들도록 부딪치다
언제 그런 일 있었던가 시침떼는 잔물결 윤슬

변덕스러운 삶의 터전 바다
남정네들 목숨 앗아간 무심한 바다
조그만 포구마다 먼 바다 바라보며
망부석처럼 서 있는 등대들

예전엔 갯마을에 과부들 많았었소
붉은 등대는 만선을 기원하고
하얀 등대는 무사귀향을 바라는
아낙네들 소망이 깃들어 있다카데요

행여, 부산에 오실라카거든
단도리 야무지게 하고 오이소
문디들 말 뿐새에 있던 정 다 달아난다카이
엔간하믄 안 오시는기 나을끼요.

파도야 어쩌란 말이냐

주 호 성

파도야 어쩌란 말이냐
이 나이에 시방 와서 이카믄
어쩌란 말이냐 야속디 무정타

뜬금엄시 불쑥 밀어 닥치믄
어쩌란 말이냐
인생사 산전수전 공중전까지

다 견뎌낸 이 마당에
새삼스럽게 어쩌란 말이냐
다시 시작되는 세파와의 일전불사

 날 저물고 땅거미 스멀스멀 기어오고
 소망의 포구는 아직은 먼데
 파도야 어쩌란 말이냐

 하루 이틀 맞딱뜨린 일도 아닌데
 이정표 없는 바닷가에서 서성거린다.

파도를 넘어

주 호 성

나는 바다 위를 지나고 있습니다
인생이라는 거친 바다위에서
바다 건너편 본향을 향하여
우리는 자신들만의 배를 타고
각기 다른 항로를 가고 있을지라도
우리가 바라고 향하는 그곳은 소망의 포구
우리의 본향입니다

때로는 순풍에 돛 가득 품고 미끄러지듯
잔물결 일렁이는 바다 위를 지나가기도 하고
때로는 거센 파도와 비바람을 견뎌내고
바다 건너편 본향을 향하여 나아 갑니다

나를 둘러싸고 있는 모든
구속으로 부터 자유하기 위하여
칠흑같이 어두운 밤
불빛 한 점 보이지 않는
먼 바다 위 폭풍우 속에서도

힘이 닿는 한 파도를 견뎌내고
소망의 포구를 향하여 노를 저어 나아 갈겁니다
본향을 향하여

4월은 잔인한 달, 찬란한 슬픔의 봄인가 ?

주 호 성

영국의 시인 "T.S.엘리엇"은
4월을 "잔인한 달" 이라고 표현을 하였었는데
잘 이해는 되지 않았지만
시석인 표현이라 그리려니 하였었지만
요즘처럼 나이가 들다보니
나름대로 이해가 되기도 한다

4월이 되면 온갖 꽃나무들 하며
들풀들이 흐드러지게 꽃을 피우며 지고 하는데
광야, 황무지와 같은 빈 들녘에
새순, 잎 한 장 피우지 못한 채 서 있는 나무들

자연의 세계만이 그런 것은 아닌 것 같다
어떤 이들에겐 4월은
꽃 피고 새 우는 희망의 봄 일런지는 몰라도
또 어떤 이들에겐 4월은
가장 잔인한 찬란한 슬픔의 봄 일런지도 모른다.

베트남 꽁까이 전설

주 호 성

베트남 참전용사의 사랑 이야기

"꽁까이"는 베트남"어로 "아가씨" 처녀를 뜻하는 말
전쟁의 포화 속에서도 "청춘남녀" 들의 사랑은 피어나고...

"베트남 전쟁"이 "육이오"와 다른 점은
전쟁 중에도 군인들에게 포상휴가나 외박이 허용 되었다는 점이다

밤이 되면 "사이공" 뒷골목은 불야성을 이룬다
용병으로 만리타국 남의 나라 전쟁에 참전한 젊은 국군과
"꽁까이"의 만남은 지극히 자연스러운 것이었다

하룻밤 풋사랑 이었건만 몇 번 만나면서 정이 들었나 보다
며칠 후면 용병기간이 끝나게 되어 귀국을 앞둔 마지막 만남의 밤
"베트남꽁까이" 에게 건넨 말,
"이제 본국으로 돌아가게 되어 오늘이 마지막 밤"이 될것 같다"
"베트남 꽁까이" 왈, "귀국하지 말고 여기서 같이 살자"

"젊은 국군" 피식 웃으며 무심결에 "우끼네 우끼고 있네"라고 말하자
"베트남 꽁까이" 왈, "우끼네" 가 무슨 뜻" 무슨 말" 이냐고 묻게 되고
"젊은 국군" 대답하기를,
"사랑하는 연인끼리 마지막으로 헤어질 때 하는 인사말"
이라고 둘러 대었다고 한다

며칠 후 떠나가는 군함을 바라보며
"사이공부둣가"에서 하얀 손수건을 흔들며
 "웃기네 웃기고 있네"소리 치며 울며 흐느끼는 "베트남꽁까이"

멀리 수평선 너머로 떠나가는 배가 보이지 않을 때까지
"우끼네 우끼고 있네" 하면서 한참을 서 있었더라는...

시방 "베트남"하고 경제관계 원만하고 거시기 한께
"베트남"이 국가차원에서 "문제제기"를 하고 있지 않지만
우리로 치면 정치를 꿈꾸는, "노숙자 시민단체" 등이
"한국군"에 의한 "민긴인 학살" 문제를 거론하고 있다는 뉴우스를
본적이 있다

"베트남전" 문제제기에 대하여
우리도 일본이 우리에게 한 것처럼 대 할는지
우리의 처리 방식을 보면
일본과의 "과거사" 문제 해결 방법이 보일려나...

술 이야기, '신앙과 술'

하나님을 아버지라 부르면서
주일이면 옆구리에 성경 책끼고 예배당에 다닌 지
40년 하고도 몇 년은 더 된 것 같은데

아직까지도 술 "酒"짜 酒님과 "土 에수" "그리스도"
두 "주님" 사이를 방황하며
계절 따라 막걸리에서 쇠주로 갈아타고
다시 담금주로 소맥에 이르기까지 환승
공짜 전철 갈아타듯이 주류 갈아타기를 반복 하면서
관계정리를 하지 못하는 의지박약한 나 자신을 보며
자기변명 한 마디 할거나
개신교신자가 술 먹는 거 버젓이 자랑할 일 아니지만
그리 죄 되는 일은 아니기에
왜~?
유럽의 여러 원조기독교국가의 사람들에게 그리 문제가 되지 않는
음주가
우리나라에서만 금기시 되고 죄 짓는 것 으로 인식 되는가?
특히 "개신교"에서만...
그것은 우리 할아버지시대부터 내려 온
"술쿠세"(술주정), 술 곤조" 때문이란다

근대 개신교가 우리나라에 전파 될 무렵
"장로교, 감리교" 선교사님들 눈에 비친
우리 할부지 세대의 모습은
평소 넘 한테 대꾸 한마디 못하는
순하고 어리석고 무지한 민족으로 보였더란 말이지

이스라엘 민족처럼 넘의 나라에 포로 잡혀 와서
종살이 하는 것도 아니고

자신들의 땅, 즈그나라, 즈그들 땅에서 종살이 하는 보기 드문 순디들...
착한건지 모지리 인지...
순하고 순한 순디들, 어디 가서 말 한마디 따지지도 못하는 사람들,
술만 한잔 입에 들어가면
어디서 그런 힘이 솟는가 싶을 정도로 돌변하여 "술쿠세"를 부리고
연약한 아낙들을 "여편네" 라고 부르며 뚜디리 패는 것을 보고는

선교사님들 생각에
"조선민족"들에게는 하나님의 말씀 "福音"을 전히면서
"술"을 금기 시켜야 되겠다는 신념을 갖게 만들었다는 이야기

성경말씀 어디에도 술을 금기시 하며
죄악으로 보는 말씀은 못 본 것 같은데
다만 "술 취하지 말라"는 말씀은 있다
술은 마시되 취하지만 않으면 된다는…
해석하기 나름 이지만

예수님께서 이 땅에 오셔서 처음으로 보이신 이적이
"가나" 혼인 잔치 집에서 맹물을 포도주로 만드신 일이신데
먹어서는 안 될 음식이라면
예수님께서 물로 포도주를 만드시지도 않으셨을 것

신앙생활을
"경건한 삶" 구별된 삶"에 이르기를 연습하는 과정으로 여긴다면
술을 절제하는 것이
경건에 이르는 삶, 구별된 삶으로
하나님 앞에 나아가는 성도의 자세가 아닐까 싶다

"지따지처", 지가 따르고 지 혼자 처마시는 "홈술"은
"主님"께서 이쁘게 보실려나 ?
오늘저녁엔 "조강지처"와 함께 오붓하게
"지따지처" 한잔 하련다.

친구 이야기

주 호 성

삼십년 세월 몸 담았던 직장 동료였으며 술 친구였었고
영남알프스 자락 함께 누비던 산 꾼이기도 했었고
의기투합 했었던 친구
내 젊은 시절 일기장 추어의 앨범 속에
가장 많이 등장하는 친구

건강만큼은 자신 만만 하던 친구였건만
퇴직 후 삼년 겨우 넘기고 하늘가는 소풍 길 나서더이다
그 친구 길 떠난 지 벌써 십년이네

그 친구,
어쩌다 암보험 하나 든 것이 저승 가는 길 노잣돈 될 줄이야
암보험 안 들었을건데, 보험회사 댕기는 먼 친척 성화에 못 이겨
보험 건수 하나 올려 준다고 든 것이
자기 저승 가는 길 노잣돈 되리라곤 꿈엔들 생각 했을까

그 친구, 자기가 훗날에, 암, 그것도 백혈병에 걸리리라
생각이나 했으려나...?

세상의 올무는 언제 어느 때 어디서나
도적 같이 다가오는 것을...

봄, 여름, 가을, 그리고 겨울

주 호 성

만물이 소생하는 짧은 봄날
함께 길 위에 뿌리 내리고

어느 계절 보다도 길게 느꼈던 여름
작렬하는 햇볕과 야멸찬 바람

그리고, 비에 젖으며 젖으며
견디고 이겨내며 결실 맺었나니

이제, 막 가을걷이 끝난 저녁무렵
밥상머리 반주한잔 어찌 없으리오

마저 해 저물고 잎 다 지면 겨울나무
되어 다시 사는 소망 이루게 될란가.

한 해를 마무리하면서

주 호 성

세상이 어쩌다 이 지경까지 오게 되었을까 ?
피자 한판 값이면
누구나 아무나
마약을 접할 수 있는 세상

배달의 민족이라 택배도 된다고 하더라

정치꾼 노숙자들 책임일까 ?
法이 물러 터져서 일까 ?

세상 물정 잘 모르고 법 공부만 한 판사들
귀에 걸면 귀걸이
코에 걸면 코걸이 식 판결 탓을 할거나

아님 아담과 하와의 후손들이라
유혹에 약해서 의지박약한 유전자 탓 할까?

잘 되면 내 탓이오
못 되면 조상 탓으로 돌릴거나

70평생 걸어오면서 내가 남긴 발자국, 흔적들
지울 수만 있으면
그 흔적들 지우고 싶은 길 많았었다.

삼랑진(三浪津)

주 호 성

하단 을숙도 하구 둑이
생기기 전 갈수기 만조 시에

님해 바닷물이 이곳 낙동강 삼랑진까지 쳐 올라 왔었기에
지명(地名)이 삼랑신(三浪津)이 되었다는데

세 개의 물결이 만나는 곳
밀양강 강물
낙동강 강물
그리고
갈수기에 이곳까지 쳐 올라온 남해 바닷물

이렇게 3 물결~

전해져 내려오는 이야기에 의하면
임진왜란 때 왜군이
남해바다를 거쳐서
낙동강 줄기를 타고 이곳까지 올라와

당시 밀양부사 박진 장군이
이끄는 관군과의 혈전이
있었던 곳이기도 하다.

기차역에 대한 추억 소환

주 호 성

지나간 날들이 추억의 앨범 속에서
고개를 빠꿈 내 민다

어릴 적 먼 친척 누부야가 직장을
찾아서 떠난 기차역

누부야 생각에 학교 농띠 치고
무작정 기차역 배회 하던 때

그때 그 시절에는 월사금 밀린 아이들
회비 가져 오라꼬 수업시간 도중
집으로 쫓아 보내던 시절이라

누부야 생각나기도 하고
집에 쫓겨 가는 거 뿔따구도 나고 해서
그런 저런 이유로 농땡이 쳤다

그러던 어느 날 학교 땡땡이치는 거
들통 나서 뒤지게 얻어터지고 매 타작 한번으로
나의 사춘기는 종 쳤다

그리고... 애 늙은이가 되었다

무수한 이별의 사연을
담고 서 있는 이별의 부산정거장.

풍 경 소 리

주 호 성

풍경은
세파에 찌든 사람들을 깨우치기 위해서
절에서 사용하는 쇠로 된 종의 하나이다

쇠로 된 종에
금속으로 된 물고기를 매달아 둔다

물고기를 달아두는 의미는
물고기는
잘 때도 눈을 감지 않기에
그래서 수도승은 잠을 줄이고
언제나 깨어 있어야 된다는 의미

깨어 있어야만 하는 무거운 짐은
수도자들만의 몫은 아니다
중생들도 늘 깨어 있어야 되는 거 아닌가?

정치꾼, 시정잡배들이
헛소리 하는지 안하는지...

춘래 불사춘(春來不似春)

주호성

봄이 왔다고 하지마는

봄처럼
느껴지지 않는 것은

봄바람인지
겨울바람인지

봄비라고 하기에는
세찬 비바람에

갓 피어난 꽃잎 떨어지고
강(江)에는 물안개 피어오르네

구십춘광(九十春光) 짧은 봄날
하염없이 지나 가는구나

어슬픈 봄
해마다 다시 찾아오리오 마는

서리 내린 듯
흰머리만 늘어가는구려